CW00545065

RICHE

ET

PAUVRE.

IMPRIMERIE DE MADAME HUZARD (NÉE VALLAT LA CHAPELLE),
rue de l'Éperon, n° 7.

RICHE

ET

PAUVRE;

PAR ÉMILE SOUVESTRE,

AUTEUR DES DERNIERS BRETONS, DE L'ÉCHELLE DES FEMMES.

II.

PARIS,

CHARPENTIER, ÉDITEUR-LIBRAIRE,
31, RUE DE SEINE.

1836.

I.

II.

Plusieurs mois s'écoulèrent sans amener aucun changement notable dans la situation d'Antoine; seulement il sembla rentrer de plus en plus dans cette obscurité dont il était sorti un moment.

Il y a, dans toutes les destinées, un certain

espace de temps accordé pour la réussite, et passé lequel la situation que vous avez atteinte, quelle qu'elle soit, semble devoir être irrévocable. Larry avait malheureusement passé cette époque d'essai progressif. Ce n'était plus un débutant, et pourtant c'était encore un avocat ignoré et qui, probablement, devait l'être toujours. On était désormais accoutumé à unir son nom à l'idée de son obscurité. Il avait pris son rang dans l'opinion publique, et ce n'était plus que lentement et après longues années qu'il pouvait espérer de monter quelques degrés dans cette hiérarchie des réputations, établie par le caprice.

Pour le vulgaire, qui ne savait pas tous les obstacles inaperçus qui l'avaient arrêté, il y avait, en réalité, quelque chose de suspect dans cet insuccès d'un jeune homme habile, travailleur et éloquent. Il était même difficile, pour celui qui connaissait la vie d'Antoine, de concevoir que les grains de sable, jetés sur sa route par le hasard, eussent pu le laisser si loin de ses concurrens; malgré soi, on était pris d'une sorte de soupçon, et l'on cherchait, dans un vice caché, la justification d'une fatalité si constante.

Cependant un seul mot pouvait expliquer ce mystère. Antoine était né pauvre! c'était cette pauvreté qui l'avait privé de moyens de réussite, de soutiens et de prôneurs; c'était elle qui avait exagéré les défauts de sa nature et qui lui avait donné un caractère sans charnières, incapable de se prêter à rien, timide par orgueil et gauche par noblesse. Sans doute, comme nous l'avons déjà dit, l'homme n'était pas complet en lui, car l'homme complet ne se laisse pas dominer par une condition, il se l'assimile quelle qu'elle soit, l'arrange à sa taille et sait même s'en faire un piédestal; mais, d'un autre côté, il y avait, chez ce jeune homme, les élémens d'une vie plus grande; il lui avait seulement manqué le hasard d'une naissance meilleure.

Larry ne vit se réaliser aucune des espérances de fortune et de réputation qu'il avait formées un instant. Quelques affaires lui vinrent de loin en loin, mais ne le sortirent pas de sa médiocrité. Quoiqu'il continuât à voir M. Pillet, ce que Randel lui avait dit l'engagea à se tenir avec lui sur la réserve. Le vieil avocat s'en aperçut et cessa, de son côté, de faire des avances, attendant l'heure et exploitant provisoirement, le mieux possible, d'ici là, l'instruction et le zèle de son jeune confrère.

Quant à l'amour d'Antoine, il avait éprouvé, depuis quelque temps, bien des traverses et était devenu la cause de bien des ennuis. La veuve Larry n'avait pas tardé à s'apercevoir, en fréquentant la maison de madame Poirson, que son fils y était attiré par Louise et qu'il l'avait déjà choisie, dans sa pensée, pour partager son sort. Cette découverte lui causa une grande colère.

C'est un travers commun, chez les parens âgés, de ne point vouloir le mariage de leurs enfans; mais, chez la mère d'Antoine, cette idée avait encore acquis plus de force, grâce aux circonstances. Depuis vingt ans qu'elle était veuve et qu'elle vivait avec son fils, elle s'était accoutumée à le considérer en quelque sorte comme un mari. Habituée à veiller aux besoins du jeune homme, à arranger sa vie intérieure, elle avait fait de celle-ci sa propriété et ne comprenait pas qu'une autre pût y acquérir des droits. Comme dans son trivial égoïsme elle n'avait jamais soupçonné que le bonheur qui suffisait à ses désirs pouvait ne pas suffire à Antoine, son projet de mariage lui sembla une sorte d'infidélité et une ingratitude odieuse. Elle ne vit dans la femme destinée à devenir sa fille qu'une usurpatrice qui venait lui ôter le sceptre du ménage. Peut-être aussi, derrière ces motifs vulgaires en existait-il encore un autre plus mystérieux; peut-être éprouvait-elle, à son insu et bien au fond du cœur, un peu de cette jalousie que ressentent toutes les mères pour la jeune fille qui va s'unir à leur fils, car les mères se sentent femmes, même près de celui à qui elles ont donné le jour.

Quoi qu'il en soit, la veuve Larry ne connut pas plutôt l'amour d'Antoine, qu'elle s'en plaignit hautement et cessa de voir Louise. Tout le voisinage sut bientôt que madame Poirson et sa filleule cherchaient à lui enlever son fils en l'amenant à une union ridicule.

Ces récriminations, commentées par le commérage, parvinrent aux oreilles des parties intéressées; elles amenèrent des explications orageuses dans lesquelles Larry eut beaucoup à souffrir, et dont le résultat fut tout opposé à celui que sa mère s'était promis; car, ainsi forcé de déclarer ses intentions et de faire sortir son amour, plutôt qu'il ne l'eût voulu, du mystère dont il s'était plu à l'envelopper, il demanda positivement la main de Louise et devint son fiancé.

La veuve Larry jeta les hauts cris et refusa de voir sa future belle-fille; mais rien n'ébranla la résolution d'Antoine. Il avertit tranquillement sa mère qu'il était en son pouvoir de le faire souffrir, non de le faire changer de résolution, et garda, après cette déclaration, un silence résigné.

La vieille femme finit par user sa colère contre ce calme muet, et voyant que le mariage ne se faisait pas encore, elle espéra.

Tout, en effet, semblait se réunir pour la rassurer. La position des deux jeunes gens était trop dépendante, trop voisine de la misère pour qu'ils pussent songer à réaliser de suite leur projet; et l'avenir même était si sombre, tant de tonnerres grondaient à l'horizon, qu'Antoine n'entrevoyait point encore, hélas! de place sûre où il pût bâtir son humble nid.

Quelque ardent d'ailleurs que fût son amour, ce n'était point une de ces aveugles et égoïstes frénésies qui nous font sacrifier toute prudence à la satisfaction d'un brutal désir. Son amour était patient comme tout ce qui est fort, sage comme tout ce qui est bon; il voulait en faire une source de paix, d'aisance, de bonheur pour Louise, non une cause de tourmens et de pauvreté.

Quant à Louise, elle attendait avec calme, parce que ce mariage n'était pour elle qu'un déménagement peu important. Elle avait accepté l'amour de Larry sans répugnance, mais aussi sans empressement et avec plus d'estime que de joie. Rien n'annonçait donc que l'union convenue pût s'accomplir prochainement.

Depuis quelque temps surtout, les difficultés

se multipliaient. Le mal de madame Poirson avait fait d'effrayans progrès et ses revenus étaient devenus insuffisans pour subvenir aux frais qu'entraînent toujours ces longues maladies. Nuit et jour près du lit de sa marraine, Louise employait à des travaux de femme le peu d'instans que lui laissait celle-ci; mais les ressources diminuaient de plus en plus; les forces commençaient à manquer à la jeune fille, qui, pâle et maigrie par les veilles, cherchait vainement à retenir un courage fatigué d'être inutile et prêt à l'abandonner. Antoine avait partagé son dévouement et n'avait rien négligé pour venir à son aide. Tout ce qu'il possédait était passé aux mains de Louise, mais c'était bien peu, et les besoins de la malade renaissaient sans cesse. Il y avait déjà plusieurs jours que la jeune fille avait épuisé ses dernières ressources, et bien qu'elle n'eût pas voulu affliger Antoine, en lui faisant connaître sa gène (car le malheur commençait à lui donner l'intelligence du cœur), elle ne put lui cacher une tristesse dont il soupçonna bien vite le motif.

L'impossibilité où il se trouvait de secourir Louise lui causa un des plus horribles désespoirs qu'il eût jamais éprouvés. Après avoir vainement rêvé à tous les moyens de se procurer de l'argent, il se rappela enfin, heureusement, qu'il avait encore quelques livres. C'étaient ces derniers volumes, amis des heures solitaires, que l'on ne se décide à vendre que pour avoir du pain ou pour faire une bonne action. Antoine se hâta de les réunir et de les porter chez un libraire. Le prix qu'il en reçut tenait tout entier dans le creux de sa main, mais c'était de quoi attendre, de quoi espérer!

En regagnant à pas pressés le faubourg d'Antrin, son cœur battait d'émotion; il savourait d'avance la joyeuse surprise de la jeune fille ! Pauvre enfant ! il allait la prendre à l'improviste, il allait la trouver sans doute travaillant, le front baissé et le dos tourné au lit de sa marraine pour ne pas lui faire voir ses larmes : quel bonheur de pouvoir jeter dans son tablier ce peu d'argent, de voir un sourire s'épanouir sous ses pleurs, et de recevoir pour remercîment un de ces regards qui disent tout ce que la parole ne peut exprimer !

Tout en agitant en lui-même ces douces pensées, il était arrivé à la porte de madame Poirson : il l'ouvrit, le cœur palpitant d'espérance et de plaisir; un cliquetis d'argent, qui parvint tout à coup à son oreille, lui fit avancer la tête.... Louise était au fond de la chambre, occupée à rouler plusieurs piles d'écus posées devant elle. Antoine s'arrêta stupéfait, et, par un mouvement instinctif, referma la main déjà ouverte dans laquelle il tenait le prix de ses livres. Au bruit qu'il avait fait en ouvrant la porte, la jeune fille s'était détournée; elle rougit et sourit à la fois.

— Eh bien! vous n'entrez pas? dit-elle.

Et, remarquant qu'il regardait l'argent d'un air presque effrayé, elle reprit gaîment:

— Nous sommes devenus riches depuis ce matin.

— Comment avez-vous pu vous procurer cet argent? demanda Larry.

— Tout cela appartient à ma marraine,

c'est un terme de sa pension que madame Boissard a consenti à lui payer d'avance.

— Vous lui avez donc demandé cette faveur ?

Elle baissa les yeux.

— Il le fallait bien, j'étais sans argent depuis plusieurs jours, je ne voulais pas vous le dire, c'eût été vous attrister inutilement ; alors j'ai songé à demander une avance sur la pension, j'ai écrit hier à madame Boissard, et, ce matin même, son fils est venu me compter ces deux cents francs.

Larry jeta machinalement les yeux sur tout l'argent étalé devant Louise, et, sentant encore dans sa main la faible somme qu'il venait lui apporter si joyeusement, il éprouva une douleur plus cuisante que si une épée lui eût traversé le cœur.

Comprenant qu'il avait fait un sacrifice inutile, et que l'offrande dont il s'était promis tant de bonheur paraîtrait ridicule au milieu de cette opulence imprévue, il baissa la tête en silence, et alla s'asseoir à la fenêtre. Louise, qui ne pouvait deviner son cruel désappointement, ne vit dans sa tristesse qu'un ressentiment puéril contre la famille Boissard. Elle trouva quelque chose de petit à cette rancune, qui empêchait le jeune homme de partager sa joie, et, choquée de son silence, dans lequel il lui semblait voir un reproche injuste, elle lui dit avec une vivacité impatiente :

— Trouvez-vous donc que j'aie eu tort d'employer le seul moyen qu'il nous restât de sortir d'une position intolérable? A qui pouvais-je m'adresser, si ce n'est à madame Boissard ?

— Vous avez raison, répondit Antoine avec accablement, un autre n'aurait pu vous donner que des secours insuffisans et momentanés, tandis que maintenant vous voilà sans inquiétude pour long-temps; vous avez raison, cela est mieux ainsi, pardonnez-moi mon premier mouvement; mais on s'accoutume avec peine à ne point suffire à ceux que l'on aime.

La triste douceur avec laquelle Larry avait prononcé ces mots apaisa à l'instant la jeune fille.

— Vous vous affligez bien à tort, Antoine,

reprit-elle affectueusement; n'avez-vous pas déjà fait pour nous tout ce qui est en votre pouvoir? Puis, cet argent n'est qu'une avance; c'est à ce titre que je l'ai sollicité et que je l'ai reçu. J'ai bien pleuré, allez, et ce n'a pas été sans peine que je me suis décidée à faire cette demande. Du reste, c'est un bonheur que j'aie osé écrire. M. Boissard s'est montré si bon en apportant cet argent! Il a fait à ma marraine mille offres de service; il a même demandé la permission de revenir pour avoir de ses nouvelles et savoir si elle manquait de quelque chose.

Larry ne répondit pas: il ne pouvait s'empêcher de reconnaître que la conduite des Boissard, en cette occasion, était digne d'éloge; il sentait qu'Arthur s'était montré généreux, et cependant, malgré lui, son cœur se refusait à l'admiration.

Il lui en voulait d'avoir secouru Louise, lui qui, le matin encore, eût donné tout son sang pour que ce secours arrivât ; il se disait que le droit d'essuyer les larmes de la jeune fille appartenait à lui seul, et que l'usurper c'était lui ravir son bien le plus précieux; il haïssait Arthur pour sa bonté, car quelque chose semblait lui dire que cet homme était, de nature, son ennemi, et que toutes ses actions, mauvaises ou bonnes, lui seraient également funestes.

Il chercha vainement à éloigner ces préventions hostiles dont il avait honte, et la première fois qu'il rencontra Boissard chez madame Poirson, il éprouva une sorte de frémissement répulsif.

Cependant il maîtrisa assez son impression pour n'en rien montrer. Les deux jeunes gens se parlèrent sans affectation, froidement, et comme des personnes qui veulent rester polies l'une envers l'autre, mais brouillées à jamais. Louise, qui avait peu d'expérience des mystères de l'ame, prit pour une réconciliation cette espèce de transaction extérieure, qui rendait précisément toute réconciliation impossible désormais ; car chacun des deux jeunes gens avait renoncé aux explications : chacun d'eux, en se rapprochant, avait renfermé, dans son propre cœur, une rancune qui devait y fermenter et y grandir chaque jour.

II.

Cependant les visites d'Arthur se repétèrent, et il était rare qu'elles ne fussent pas suivies de quelque envoi destiné à la malade, dons de peu d'importance, mais auxquels l'opportunité donnait toujours du prix. Son instinct de femme avertit Louise qu'elle devait cacher ces présens à Antoine. Elle évita même de parler devant lui des attentions bienveillantes de Boissard, et eut soin de faire connaître indirectement à celui-ci les heures où Larry venait, afin qu'ils ne se rencontrassent point.

Il s'établit ainsi entre elle et Arthur une sorte d'intimité non avouée, un de ces pactes tacites et réciproques, liens invisibles dont on ne se défie pas d'abord, mais qui vous enlacent bientôt sans retour. L'heure de Louise était venue. Elle avait enfin devant elle l'homme jeune, riche et joyeux qui devait lui plaire. L'amour sévère d'Antoine lui était apparu comme ces rocs foudroyés que l'on admire de loin, mais près desquels on trouverait triste de vivre, tandis que la tendresse d'Arthur lui semblait comparable à ces vallées fleuries, au fond desquelles on aime à bâtir sa maison blanche parmi les acacias et les tilleuls. Oh! les belles soirées qu'elle passa avec le jeune homme près de sa fenêtre, entre les gazouillemens de son bouvreuil et les parfums de son réséda! non pas rêveuse et recueillie, mais vive, folâtre, riante de cette joie irréfléchie de l'enfant qui ne se demande pas même d'où lui vient sa joie. Elle non plus n'aurait pu le dire, car elle n'avait point cherché le nom du sentiment qui lui faisait désirer la présence d'Arthur. Elle l'aimait parce qu'il était gai et bon, parce qu'il se baissait à sa taille, parce qu'il savait la distraire de ses ennuis. Avec lui, du moins, on ne portait pas toujours le deuil de la tristesse, et l'on donnait parfois congé à la prudence.

C'était là ce qu'Antoine n'avait jamais su faire. Sans cesse en défiance devant l'avenir, il communiquait son inquiétude à tout ce qui l'entourait. Ses sentimens les plus tendres étaient empreints d'une mélancolie contagieuse, et son calme ne paraissait pas du calme, mais de la résignation. Comment aurait-il pu réveiller les sympathies de cette enfant, si amoureuse de rire et si contente de la terre? Pauvre oiseau créé pour chanter dans les blés, pour nicher dans les charmilles, elle avait peur des bois sombres, des hautes montagnes, des grandes mers; ses ailes n'avaient été faites que pour les ruisseaux des vallées.

Elle aimait la joie, parce qu'elle était née pour la joie, et comme Arthur lui ressemblait, elle se mit à aimer Arthur. Mais cet amour était si paisible, si pur, si heureux, comment aurait-elle pu s'en inquiéter? Ce n'était point là une de ces passions turbulentes qui entrent dans notre existence à la manière des tempêtes, emportant tout avec elles; ceci n'était qu'une douce et amusante affection de sœur à frère, un attachement familier dont la reconnaissance était le premier lien.

Louise se laissa donc aller au penchant qui l'entraînait sans y prendre garde, et Boissard lui-même fut long-temps avant de remarquer la tournure que prenait cette liaison.

La première fois qu'il avait vu la filleule de madame Poirson, il avait senti l'attirement qu'éprouve tout homme jeune vers une femme gracieuse et belle, mais cette impression avait été passagère. Plus tard cependant, lorsque la demande de la jeune fille lui fut communiquée, le souvenir de sa beauté avait contribué à la lui faire accueillir favorablement ; il avait voulu apporter lui-même le secours qu'elle sollicitait, afin de contempler sa joie ; et cette seconde visite ayant confirmé sa première impression, il avait demandé la permission de revenir, dans le seul but de revoir une jeune fille dont la reconnaissance naïve l'avait touché. Il revint donc, et comme à mesure qu'il connut mieux Louise il trouva plus de graces dans sa personne et plus de charmes dans son entretien, ses visites se multiplièrent.

Du reste, il eût été difficile de dire si quelque idée coupable présidait à l'assiduité du jeune homme. Quoiqu'il n'eût conçu aucun plan de séduction, il y avait peut-être dans son ame une vague espérance ; car il est rare que l'instinct impur ne veille pas en nous, même à notre insu ; mais, si ces intentions existaient confusément au fond de son cœur, du moins ne se les était-il pas encore avouées à lui-même.

Sa liaison avec Louise se resserrait de plus en plus, sans qu'il s'en aperçût et sans qu'il s'en occupât. Il fallut une absence forcée de quelques jours pour l'avertir de l'empire que l'habitude avait pris sur Louise et sur lui-même. La douleur de la jeune fille et sa propre tristesse lui apprirent alors enfin quels liens il avait laissés se former.

Cette découverte le troubla. Quoique son éducation de collége et son intimité avec des jeunes gens riches, auxquels le libertinage était trop facile pour ne pas être habituel, lui eussent donné des principes peu sévères, il y avait en lui quelque chose d'honnête qui répugnait à une séduction. Déjà, d'ailleurs, il aimait trop Louise pour la sacrifier à un caprice voluptueux, et si une tentation coupable traversa son ame, elle n'y trouva point de sympathie, et il la repoussa presque aussitôt.

Quant à donner une fin légitime à cette liaison, il n'y pouvait songer. Il ne lui restait donc plus d'autre moyen que de délier insensiblement les nœuds imprudens qu'il avait formés, en se montrant plus froid avec la jeune fille et en cessant peu à peu ses visites.

Mais ce projet que le jeune homme avait conçu dans la sincérité de son cœur offrait des difficultés d'exécution qu'il n'avait nullement prévues. En le voyant venir plus rarement, Louise s'inquiéta; son amour, qu'elle avait à peine senti jusqu'alors, confondu qu'il était dans son bonheur, commença à prendre une expression remuante. L'absence d'Arthur lui apprit jusqu'à quel point elle avait besoin de sa présence. Elle lui fit des reproches auxquels il répondit froidement, et alors vinrent les larmes.

Boissard ne s'était point attendu aux dangers qu'entraîne le rôle de consolateur; il fallut céder quelque chose pour ne pas tout perdre. Mais, semblable au possesseur qui a craint l'expropriation, Louise prit soin de constater chaque concession comme un droit imprescriptible. En vain Arthur voulut revenir au projet de la fuir; à chaque tentative, Louise lui opposait une promesse ou une de ces prescriptions qui résultent de l'habitude. Le plus fâcheux, c'est que tous ces débats les forçaient à des explications dangereuses, dans lesquelles ils prenaient de plus en plus connaissance de leur propre faiblesse.

Puis Arthur avait touché, sans y prendre garde, au lion endormi. Attaquée dans son repos, la passion jusqu'alors cachée s'anima subitement, et se montra dans toute sa violence. Les rapports des deux jeunes gens, qui n'étaient point sortis auparavant d'une familiarité paisible, prirent un caractère brûlant. Tout s'enflamma de je ne sais quelle ardeur fatale, tout devint péril. Entretiens du soir en regardant les étoiles, silences enivrans, doux noms murmurés bas, serremens de mains, adieux répétés sur le seuil, longs regards jetés en arrière, joies innocentes d'hier, d'où vous venait votre poison d'aujourd'hui? Bien long-temps vous aviez été comme une fraiche aurore, et voilà que maintenant tout brûlait à votre approche. Triste naufrage! douloureux changement! Hélas! il n'y a de doux sur la terre que l'amour qui s'ignore, comme il n'y a d'heureux que l'enfant qui ne se connaît pas.

Cependant un grave évènement changea tout à coup la situation de Louise.

Arthur était parti pour un voyage indispensable, et l'avait laissée plongée dans une profonde tristesse, lorsque la maladie de madame Poirson, dont les progrès avaient été lents, mais continuels, prit subitement un caractère mortel. Il est rare que ces longs maux, qui minent insensiblement l'existence, ne nous ôtent pas toute prévoyance du terme fatal. On se lasse de regarder mourir si lentement; les craintes s'épuisent dans l'attente, et l'on finit par considérer cette souffrance sans fin du même œil que la santé, et comme un état naturel à celui qui la supporte. D'un autre côté, les préoccupations de son amour naissant avaient tellement absorbé Louise, qu'elle éprouva autant de surprise que d'épouvante en apprenant que sa marraine allait mourir.

Bien que madame Poirson ne lui eût jamais témoigné une tendresse bien sincère, cependant il s'était établi, entre la vieille femme et la jeune fille, quelques uns de ces puissans liens que noue une vie difficile supportée en commun. D'ailleurs, dans ce moment solennel de l'agonie et à cette heure d'un départ sans retour, quel cœur, même des plus durs, pourrait se défendre d'un douloureux frémissement? Ce peu qu'avait de bon l'être qui meurt, comment ne pas le regretter quand on va le perdre à jamais? Et n'a-t-il pas vécu près de nous? n'emporte-t-il pas avec lui dans la tombe quelques lambeaux de nos souvenirs, quelque chose de nous-même? Cette vieille femme qui dans quelques heures ne devait plus être qu'un cadavre, c'était le dernier anneau qui liait le passé de Louise à son présent! L'esquif sur lequel elle avait vogué jusqu'alors dans la vie allait disparaître; et que lui restait-il au milieu des vagues du monde? un fragile amour qu'elle avait saisi de ses mains inexpérimentées, comme dans la prévision du naufrage, et qui pouvait la perdre aussi bien que la sauver.

L'absence d'Arthur avait, en outre, préparé la jeune fille aux impressions douloureuses. Son cœur était si plein, qu'il fallait peu de chose pour le faire déborder. La vue de sa marraine mourante amena donc chez elle une explosion de désespoir, qui en toute autre circonstance eût été moins violente. La douleur secrète dont elle avait retenu l'expression depuis quelques jours sembla vouloir profiter de l'occasion pour se satisfaire. Aussi, une fois qu'elle eut commencé à gémir et à pleurer, ses gémissemens et ses pleurs allèrent toujours croissant, comme si à chaque instant un nouveau souvenir fût venu les redoubler. Son cœur avait besoin de se vider de toutes les larmes qui l'oppressaient ; ce fut comme une digue ouverte à un torrent long-temps retenu.

Mais ces excès d'affliction amenèrent bientôt des évanouissemens, puis une sorte de transport fiévreux dont Antoine fut effrayé.

Randel, qui était accouru, l'avertit qu'il

fallait à tout prix emmener la jeune fille loin d'un spectacle qui exaltait son désespoir. Malheureusement il n'y avait point à choisir sur la retraite à lui offrir. Larry pensa sur-le-champ à l'emmener chez sa mère, persuadé que, quelles que fussent les préventions de celle-ci contre Louise, elle ne lui refuserait pas un asile dans un pareil moment.

Il craignait seulement que la jeune fille ne se refusât à l'accompagner; mais elle venait de tomber dans un de ces abattemens qui suivaient chacune de ses crises; à la grande surprise du jeune homme, elle ne fit donc aucune résistance, parut même comprendre à peine ce qu'on lui demandait et se laissa machinalement conduire.

III.

Quand Louise et son conducteur arrivèrent chez la veuve Larry, celle-ci était sortie. Antoine se réjouit de cette circonstance qui le délivrait des embarras d'une introduction.

Il fit entrer la jeune fille dans la chambre de sa mère, l'engagea à se reposer et se retira. Il savait que, dans le premier instant, les consolations aiguisent la douleur au lieu de l'émousser, et que celle-ci a besoin de la solitude pour s'endormir. Il revint donc dans la boutique et s'assit près de la devanture fermée.

Il faisait déjà nuit; la pluie tombait au dehors, et les sanglots de Louise arrivaient par instans à son oreille au milieu du silence et de l'obscurité. Antoine fut saisi d'une tristesse et d'un découragement profonds. Fatigué des soins qu'il avait donnés à la mourante depuis deux jours et des émotions pénibles qu'il avait supportées, il sentit une sorte d'engourdissement s'emparer de tout son être et la prostration de ses forces passer dans son ame. Las de la tension continuelle dans laquelle ses facultés avaient été entretenues depuis si long-temps, écrasé par l'in quiétude et les embarras du présent, sentant sa tête se perdre chaque fois qu'il voulait jeter un regard sur l'avenir, il s'abandonna lui-même et se laissa aller à un abattement sans espoir. Il ne se doutait pas que, dans quelques instans, il allait encore avoir besoin de toute son énergie.

Depuis deux jours qu'Antoine n'était pas rentré chez lui, la veuve Larry n'avait cessé de maudire madame Poirson et sa filleule qui le retenaient ainsi sans égard pour sa santé. Comme toutes les mères dont la tendresse s'est tournée uniquement vers les attentions matérielles, elle attachait une immense importance à ce que rien ne dérangeât les habitudes du jeune homme, et elle ne concevait pas qu'il pût vivre sans certains soins qu'il avait moins besoin de recevoir qu'elle de lui donner. La longue absence de son fils excita donc en elle une véritable colère contre les Poirson. Enfin, après avoir éloigné et rapproché vingt fois du foyer le dîner qu'elle avait préparé, après être allée vingt fois de la porte à la fenêtre, inquiète et encore plus irritée, elle se décida à sortir elle-même pour chercher Larry.

Elle apprit, en arrivant chez madame Poirson, que celle-ci venait d'expirer et qu'Antoine était parti.

Elle fut donc obligée, malgré la nuit qui était noire et la pluie qui tombait à flots, de revenir sur ses pas; furieuse de la course inutile, du mauvais temps et de l'incertitude dans laquelle la laissait son fils.

Elle était peu éloignée de la porte, lorsqu'elle rencontra une voisine qui la couvrit de son parapluie.

— Venez-vous de chercher M. Antoine? lui demanda celle-ci avec un sourire ironique ; il est rentré peu d'instans après votre départ.

— Ah ! c'est bien heureux ! Il me fera attraper une maladie, c'est sûr, à courir ainsi après lui ; à mon âge, cela est dur.

— Il n'est pas venu seul, reprit la voisine, il avait avec lui une jeune fille.

— Une jeune fille?

— La filleule de madame Poirson. Elle paraissait bien désolée la pauvre petite; il paraît que sa marraine est morte : ma foi, le bon Dieu a bien fait de la prendre, il y avait assez long-temps qu'elle souffrait. Mais j'espère, madame Larry, que maintenant vous ne nierez plus que M. Antoine épouse Louise, puisque vous la prenez chez vous.

— C'est ce que nous verrons, répondit brusquement la veuve. Adieu, voisine.

Et, quittant celle-ci, elle se dirigea à grands pas vers sa boutique.

Ce qu'elle venait d'apprendre avait porté son irritation au plus haut degré. L'idée de trouver Louise établie dans sa maison, sans sa permission, sans même qu'on l'en eût avertie, la mettait hors d'elle-même. Elle poussa violemment la porte de la boutique et y entra comme un orage. Antoine se leva en tressaillant.

— Dans quel état vous voilà ! ma mère, dit-il, en apercevant les vêtemens mouillés de la vieille femme ; que faisiez-vous dehors par un temps pareil ?

— Une grande sottise, en vérité ; je vous cherchais. Qu'êtes-vous devenu depuis deux jours ?

— Vous savez que je n'ai point quitté madame Poirson qui était mourante.

— Elle est morte, Dieu merci !

— Au nom du ciel, plus bas, Louise peut nous entendre.

— Ah ! Elle est donc ici ! s'écria la veuve qui, en voyant Antoine seul, avait cru un instant qu'on l'avait trompée.

— Elle est là, répondit le jeune homme à voix basse et en montrant l'arrière-boutique.

— Je voudrais bien savoir qui lui a permis de s'emparer ainsi de ma maison?

— C'est moi qui l'ai conduite ici, ma mère.

— Et qui vous l'a permis à vous-même?

— Je n'avais pas même supposé que vous pussiez me faire cette question : où vouliez-vous que cette jeune fille trouvât un asile?

— Que m'importe à moi? Suis-je obligée de recueillir tous les gens qui n'ont ni feu ni lieu? Il fallait qu'elle restât chez elle.

— Y pensez-vous, ma mère? Vous eussiez voulu qu'elle vît coudre dans son suaire et clouer dans son cercueil celle qui l'avait élevée comme une fille?

— Pourquoi non, s'il vous plaît? J'ai bien enseveli votre père, moi, et jeté de l'eau bénite sur sa bière! Elle est donc bien grande dame, pour ne pouvoir regarder en face le malheur que Dieu lui envoie!

— Toutes les ames ne se ressemblent pas, et, si Louise sent plus vivement qu'une autre ses souffrances, il ne faut point lui en faire un crime.

— Et vous croyez que je suis dupe de ces comédies? Je sais ce que l'on cherche en s'établissant ainsi chez moi : cela crève les yeux à tout le monde; les voisines elles-mêmes répètent que vous allez vous marier, puisque je prends votre future dans ma maison.

— Qu'importent ces bruits, ma mère? Quand cela serait, n'y verriez-vous point une nouvelle raison pour recevoir Louise avec bonté ?

— Ainsi vous avouez que c'est votre intention ?

— Je ne vous l'ai jamais caché.

— Et vous osez amener ici cette fille?

— Cette fille, puisqu'il vous plaît de l'appeler ainsi, sera ma femme et elle est chez sa mère.

— Jamais, jamais, tant que je vivrai, jamais je ne donnerai mon consentement à ce mariage.

—Vous me l'avez déjà dit; aussi ne viens-je pas le demander.

— Mais vous saurez vous en passer, n'est-ce pas? voilà ce que vous voulez dire?

— Je ne veux rien dire; de grâce, ne nous irritons pas réciproquement : pourquoi parler d'un sujet sur lequel nous ne pouvons nous entendre?

— Je veux en parler, moi; vous ne prétendez pas m'empêcher de parler, peut-être? Je suis d'âge à savoir ce que je dois dire!

— Ma mère, vous me rendrez fou, dit

Larry en se levant et repoussant sa chaise avec violence.

Mais la bonne femme s'était animée de plus en plus en parlant.

— Voilà bien les enfans, reprit-elle avec colère : élevez un fils à la sueur de votre corps, consacrez-lui toute votre vie, et il vous sacrifiera à la première coquette qui se trouvera sur son chemin.

—Mais, ma mère, revenez à vous. Au nom du ciel! qui parle de vous sacrifier? qui parle de vous quitter? Ne pouvez-vous donc vivre heureuse entre votre fils et une fille d'adoption?

— Non, j'aime mieux vivre seule et libre. Je ne suis pas encore tombée en enfance, voyez-vous, et je ne veux pas me mettre sous la tutelle d'une intrigante.

— Ma mère, ce que vous dites là est insensé.

— Soit; mais vous choisirez entre cette fille et moi.

— C'est vous qui m'aurez forcé à ce choix, dit Antoine exaspéré; vous serez responsable des suites.

— Ainsi vous vous marierez?

— Je me marierai.

— Alors, emmenez votre femme, s'écria la veuve, emmenez-la sur-le-champ; je ne veux pas coucher sous le même toit qu'elle.

Antoine recula stupéfait.

— Ma mère, dit-il, d'une voix tremblante, sûrement vous n'y pensez pas; vous chassez Louise?

— Je veux être maîtresse chez moi; qu'elle retourne d'où elle vient.

— Cela n'est pas possible.

— Cela sera pourtant, et je vais le lui déclarer à l'instant même.

En parlant ainsi, la veuve Larry s'avança vers l'arrière-boutique; Antoine lui saisit rudement le bras.

— Vous n'irez pas, dit-il, cela serait infame, vous n'irez pas; je vous le défends.

Elle allait répondre, mais elle n'en eut pas le temps; la porte s'ouvrit d'elle-même, et Louise parut, les cheveux tombans, les vêtemens en désordre et le visage couvert de larmes.

A son agitation, Antoine comprit sur-le-champ qu'elle avait tout entendu; il fit un pas vers elle, lui prit les mains avec une tendresse passionnée et la rapprocha de son cœur.

— Au nom de Dieu! ne pleurez pas, Louise, lui dit-il, prêt à pleurer lui-même.

— Emmenez-moi, emmenez-moi, je veux m'en aller, répondit la jeune fille au milieu de ses sanglots.

Antoine se tourna vers sa mère.

— Serez-vous donc sans pitié? Vous voyez le mal que vous lui avez fait, n'aurez-vous pas un mot de bonté pour la rassurer?

Mais la vieille femme, loin d'être touchée, avait senti sa colère redoubler à la vue des témoignages d'affection que son fils donnait à Louise.

— Qu'elle s'en aille, reprit-elle; il faut qu'elle ou moi nous sortions d'ici.

— Ma mère, oh! je vous en supplie, par pitié, dites qu'elle reste.

— Non, non.

— Rien que quelques jours.

— Non, non, non.

— Jusqu'à demain seulement.

— Non, mille fois non!

— Je veux m'en aller, je veux m'en aller, répétait Louise suffoquée par les larmes.

Et elle cherchait la porte à tâtons.

Antoine prit son front à deux mains en poussant des exclamations sans suite.

— Ma mère, ma mère, ne me poussez pas à bout, ne renvoyez pas cette jeune fille, ne la jetez pas dans la rue au milieu de la nuit! Ma mère, dites-lui qu'elle reste, dites-lui qu'elle reste. Un mot..., un seul mot... Vous ne voulez pas! vous la chassez?... Eh bien! moi, je veux qu'elle demeure, et elle demeurera. Vous n'avez point écouté mes prières; je ne prierai plus! Je veux qu'elle reste, et j'en ai le droit, entendez-vous! Dieu vous pardonne de m'avoir amené à cette extrémité. Vous n'êtes pas chez vous, ma mère.

— Je ne suis pas chez moi! dit la vieille femme stupéfaite.

— Non : la moitié de tout ce qui est ici appartenait à mon père et, par conséquent, m'appartient maintenant. Prenez votre portion et laissez-moi la mienne, entendez-vous : je demande mes comptes ce soir, à l'heure même; je veux ma part d'héritage pour abriter une nuit cette enfant en pleurs que vous repoussez cruellement. Voyons, il y a deux chambres ici, l'une est à moi; deux lits, l'un est à moi; deux foyers, l'un est à moi; et je donne le tout à cette jeune fille.

Et allant chercher Louise qu'il reconduit au milieu de la chambre :

— Venez, ne baissez pas les yeux, ne pleurez pas ; maintenant vous êtes chez vous.

Antoine était si pâle de colère et si beau de volonté, que sa mère fut troublée ; cependant sa rancune l'emporta sur son émotion.

— Ceci est trop fort, dit-elle : vous osez réclamer votre part d'héritage dans cette maison ; mais, malheureux ! qui vous y a nourri depuis vingt-cinq ans ? Cette vieille femme, que vous voulez chasser de chez elle, n'a-t-elle pas usé ses membres pour vous, jeune et savant, qui n'étiez point capable de gagner de quoi vivre ? Vous voulez votre part ici ? Rendez-moi donc alors le pain que vous m'avez retiré de la bouche depuis que vous êtes né. Ingrat ! quand ai-je refusé de m'imposer pour vous les plus dures privations ? Grâce à moi, que vous a-t-il manqué ?

— Du bonheur, ma mère, du bonheur. Ah ! oui, vous m'avez élevé et nourri, vous avez fait de moi un animal domestique, qui avait sa niche et sa pâture de chaque jour ; mais vous avez meurtri mon cœur de mille plaies, mais, à force de me faire payer vos bienfaits par des reproches et vos soins par des persécutions, vous m'avez rendu vos soins et vos bienfaits odieux ! Ma mère, cela fait peur à dire, j'ai souvent désiré être bâtard. Jamais vous n'avez su me comprendre, vous avez toujours froissé tous mes amours. Une fois, une seule fois dans ma vie, je vous ai fait une prière, dont dépendait mon avenir, et vous m'avez durement refusé. Tout à l'heure encore, quand j'ai réclamé de vous, à mains jointes, un peu d'abri pour cette enfant qui n'a que moi et que j'aime, vous avez dit non, toujours non! Quel bien m'avez-vous donc fait? Que m'avez-vous donné? la vie! Ah! maudit soit le jour où je suis né!

Larry était tout égaré; il cacha un instant son visage dans ses deux mains en faisant entendre de sourds gémissemens; puis relevant tout à coup la tête:

— Mais je suis fou de dire tout cela; à quoi bon? Demain, ma mère, je vous délivrerai d'un spectacle qui vous blesse; Louise et moi nous sortirons d'ici pour n'y plus rentrer.

— Soit, dit la vieille femme; la maison de votre mère ne sera pas du moins déshonorée par la présence de votre maîtresse.

A ce mot cruel, deux cris partirent en

même temps, l'un de douleur poussé par Louise, l'autre de colère par Antoine; il courut à sa mère les dents serrées.

— Vous avez menti, ma mère; rétractez cette calomnie.

— Je ne rétracterai rien.

Larry sentit comme une bouffée de feu qui lui montait au cerveau; ses poings se fermèrent par un mouvement involontaire... Il se jeta en arrière, épouvanté.

— Allez-vous-en, ma mère, balbutia-t-il, au nom de Dieu! allez-vous-en!

— Je m'en vais; mais rappelle-toi ce que je t'ai dit en partant : Larry, tu seras malheureux, car tu es un mauvais fils.

En prononçant ces mots, la vieille femme ouvrit brusquement la porte et entra dans l'arrière-boutique.

Antoine fut quelques instans immobile, les yeux fixes et hagards. Enfin il parut reprendre ses sens ; il passa la main sur son front humide et regarda autour de lui pour chercher Louise ; la jeune fille était évanouie.

IV.

Louise fut prise, à l'instant même, d'une fièvre qui força de la mettre au lit. Soit que la vue de ce mal dont elle était la cause eût adouci la veuve Larry, soit que les menaces de son fils l'eussent effrayée, soit enfin que, redevenue de sang-froid, elle fût honteuse de sa dureté, toujours est-il qu'elle proposa elle-même de garder la jeune fille et de lui donner des soins.

Antoine accepta par l'impossibilité de faire autrement. Dans le moment de la colère, il avait pu parler de quitter la demeure de sa mère avec Louise; mais la réflexion n'avait point tardé à lui démontrer tous les dangers d'une pareille séparation.

Cependant celle-ci se rétablit peu à peu, et, à mesure que sa convalescence avançait, l'hostilité de la mère d'Antoine sembla renaître. Elle voyait avec dépit que les circonstances mêmes avaient amené les choses au point qu'elle redoutait.

Louise était établie chez elle, et tout lui faisait craindre que ce ne le fût d'une manière définitive. Elle eût bien voulu revenir à son refus de lui donner asile, mais elle craignait de renouveler la terrible scène qui avait eu lieu peu auparavant, et de pousser son fils à un parti extrême.

Il fallait donc qu'elle se contentât d'exprimer son mécontentement par de dures allusions ou des reproches indirects : elle ne perdit aucune occasion de le faire. Ainsi exposée sans cesse à des attaques cachées, Louise vivait dans un perpétuel frissonnement et dans l'attente continuelle du trait qui devait la blesser. Cette situation, plus intolérable chaque jour, lui fit prendre en véritable haine celle qui lui infligeait d'aussi cruelles humiliations.

Quant à Larry, bien qu'aucune des sourdes persécutions de sa mère ne lui échappât, il gardait le silence. Rendu patient à force d'amour, il avait compris que ces jours d'épreuves ne pouvaient être abrégés que par la persévérance, et que, pour atteindre le but le plus tôt possible, il fallait se défendre de tout découragement.

En vain sentait-il, par instans, le besoin de se laisser aller à sa douleur; repoussant ces faiblesses dangereuses, il se condamnait au courage et se résignait à l'espoir. Il reprit donc la poursuite de quelques affaires dont il avait été détourné par les soins donnés à madame Poirson, et déploya une activité inusitée. Dieu seul eût pu dire ce qu'il lui fallait de volonté pour isoler ainsi son esprit de ses sentimens les plus intimes.

Aussi, combien de fois de cuisantes réminiscences vinrent-elles le distraire! Combien de fois, en voyant passer devant son souvenir l'image de Louise qui pleurait loin de lui, repoussa-t-il ses livres tout éperdu, se levant à moitié pour courir vers elle! Mais ces pleurs, il ne pouvait les essuyer maintenant! il n'avait espoir d'en tarir la source qu'en se livrant au travail sans distraction et sans impatience. A cette pensée, il se rasseyait, il cachait sa tête dans ses mains pour ne rien voir que le code ouvert sous ses yeux, il rappelait à lui sa volonté, passait un frein de fer à son esprit distrait et le forçait à marcher dans l'aride voie qu'il lui avait tracée.

Mais c'était surtout chez sa mère qu'il avait besoin de toute sa fermeté. Il eût voulu encourager Louise par ses regards et il n'osait la regarder, de peur de voir ses yeux rouges de larmes; il eût voulu lui faire entendre des paroles de consolation, et il n'osait lui parler, de peur qu'un sanglot ne fît fléchir toute sa résolution. D'ailleurs, qu'aurait-il pu lui dire? lui-même il nourrissait son espérance plutôt par devoir que par conviction. Et comment dire à cette enfant désolée que le dur asile dont on lui faisait l'aumône était le seul que son amant pût lui offrir de long-temps, et qu'elle devait remettre le repos et le bonheur à plus tard? D'ailleurs, à quoi bon s'arrêter sur ces pensées et détendre dans les pleurs deux ames qui avaient besoin de toutes leurs forces? C'était alors l'heure du combat et non celle des larmes; les larmes devaient être réservées pour des jours plus heureux.

C'est ainsi qu'Antoine se parlait à lui-même, aux heures d'énergie, cherchant à ne point quitter des yeux quelques espérances vagues et lointaines. Mais la raison, cette froide logicienne, venait sans cesse jeter, à travers ses laborieuses illusions, quelque calcul glacé qui les brisait comme du verre, et alors tout son courage l'abandonnait.

Il sentait bien qu'à moins d'un évènement imprévu, rien ne pouvait changer à son avantage qu'avec les années, et il s'épouvantait d'une si longue attente pour un résultat si incertain. Heureusement que, parmi les dons reçus de Dieu, il en est un qui seul peut tenir lieu de tous les autres; c'est la faculté d'*oublier la raison*. Quelle existence, en effet, serait supportable, resserrée dans les bornes de la logique et déshéritée des imprudences et des chimères du sentiment? N'est-ce pas la croyance à l'impossible qui fait supporter l'actuel par considération pour l'avenir?

Mais si Antoine pouvait se déguiser à lui-même l'état véritable des choses, et refuser de voir ce que la réalité avait de trop menaçant, il ne pouvait échapper de même au dur avertissement des faits qui lui rappelaient, à chaque instant, sa dépendance, ni au spectacle poignant des besoins de Louise.

Le seul sentiment commun à tous les hommes qui aiment est peut-être le désir de parer la femme choisie, car la générosité est le point de contact de tous les amours. L'amant vulgaire et le véritable amant sentent également ce besoin de donner un signe extérieur de leur tendresse et de rendre plus belle celle qui les a rendus plus heureux. L'impossibilité de remplir ce désir ne fut pas un des moindres chagrins d'Antoine. Souvent, lorsque ses yeux tombaient sur les vêtemens flétris de Louise dont une industrie économe semblait disputer chaque lambeau à la misère, il sentait des larmes gonfler ses paupières, et il était obligé de sortir.

Alors il prenait en pitié son aveugle persévérance, et poussé à bout par la douleur, il ne demandait que l'occasion de sortir de cet horrible état, quoi qu'il dût lui en coûter.

Il avait, autrefois, discuté dans son ame la cause du bien et du mal, et après de longs combats il s'était décidé pour le bien; mais maintenant, il ne soulevait même plus cette importante question; il ne cherchait plus à la résoudre. Las et dégoûté de tout, il s'était assis sur la route, attendant avec impatience et laissant au hasard régler quel char devait le prendre au passage. La seule chose qu'il voulût, c'était arriver au but et y arriver de suite. Quant au moyen, peu lui importait : du moins il le croyait ainsi.

V.

Un dimanche, après avoir cherché dans la campagne un peu de solitude et avoir été chassé de partout par les promeneurs, Larry revint sombre et fatigué : la vue de la foule avait agi sur lui comme d'habitude. Cette joie, ces habits de fète, ce bruit avaient accru sa tristesse mécontente et lui avaient fait comparer, avec plus d'amertume, sa situation à celle de tous.

En entrant dans la boutique de sa mère, dont les volets, à moitié fermés, ne laissaient pénétrer qu'un jour douteux, il se laissa tomber, plutôt qu'il ne s'assit, sur le banc du comptoir et y demeura dans l'attitude du plus profond abattement. Lorsqu'il releva la tête, ses regards rencontrèrent la porte entrebâillée. Il aperçut, dans l'arrière-boutique, Louise, occupée à coudre près de la fenêtre. C'était une chose propre à l'étonner que de voir la jeune fille travailler un pareil jour; car, en province, et dans la classe de Louise, le repos du dimanche est, en général, rigoureusement observé. Antoine pensa qu'elle préparait quelque parure et que son innocente coquetterie avait, pour une fois, fait violence à sa dévotion.

Curieux de savoir ce qu'elle faisait, il se leva doucement et s'approcha de la porte entr'ouverte. Il put alors distinguer clairement le travail de la jeune fille. Elle détachait maille par maille, et très attentivement, le haut d'un vieux bas dont elle essayait de se faire des demi-gants. L'empressement contraint avec lequel elle terminait ce travail aurait suffisamment indiqué qu'un pressant besoin l'y poussait, quand même ses mains gercées par les engelures, et qu'elle réchauffait, par instans, de son haleine, ne l'eussent suffisamment prouvé.

Antoine resta long-temps à la même place, contemplant le tableau qu'il avait sous les yeux. Ce détail de la vie vulgaire qui peignait si éloquemment les privations de Louise, ce travail sans charmes et imposé par la nécessité un jour de repos, cette jeune fille défaisant un vieux bas au fond d'une arrière-boutique humide et obscure, tout cela le saisit à la fois et le pénétra d'une inexprimable douleur. C'est rarement l'importance d'un fait, mais presque toujours les dispositions de notre esprit qui décident de l'impression produite. En toute autre occasion, Antoine eût peut-être remarqué à peine ce qui le frappa alors si cruellement; mais la vue de la foule endimanchée qui l'avait poursuivi tout le jour l'avait préparé à subir plus vivement ce contraste.

Une fois ébranlée ainsi, son imagination s'exalta : il pensa à toutes les souffrances secrètes qui devaient tourmenter Louise; il se rappela mille circonstances qui lui étaient échappées, mille mouvemens, mille tristesses dont il devinait enfin la cause. Jamais il n'avait compris aussi clairement sa pauvreté.

En effet, les grandes privations éveillent d'ordinaire chez nous un sentiment moins cuisant que les petites; on les prévoit, on s'y résout, on met une sorte de courageuse fierté à les supporter; mais les privations de détail ont quelque chose d'intolérable : le peu de valeur même de l'objet qui nous manque nous avertit plus durement de l'excès de notre indigence.

Antoine ressentit donc plus d'humiliation et de douleur qu'il n'en avait jamais éprouvé. L'aspect de cette enfant travaillant seule et triste, pendant que tous se livraient au plaisir, le navra. Il ne put supporter l'idée de son impuissance, tandis que les autres réussissaient à devenir des appuis utiles pour les femmes qu'ils avaient choisies. Ses dernières hésitations disparurent. Pris d'une sorte d'audace désespérée, il résolut de tout faire pour changer sa situation et sortit sur-le-champ dans l'intention d'exécuter un projet dont il avait jusqu'alors repoussé la pensée.

Depuis l'affaire des Rosiers et sa conversation avec Randel, Antoine, comme nous l'avons déjà dit, s'était tenu dans une réserve soupçonneuse, vis à vis de maître Pillet, et l'avait visité moins souvent. Celui-ci, qui suivait son plan, n'avait rien fait pour resserrer des relations qui semblaient plus près de se rompre chaque jour. Feignant de ne point remarquer le refroidissement de Larry, il avait seulement cessé de lui procurer des affaires, et sûr que la nécessité le ramenerait tôt ou tard, il s'était résigné à attendre. Bien des fois déjà Antoine avait songé à lui dévoiler sa position difficile; mais, outre l'embarras d'un aveu, il avait toujours été retenu par une certaine défiance. Il n'avait point oublié ce que George lui avait dit de maître Pillet; et, malgré son incrédulité apparente, il craignait de se faire l'obligé du vieil avocat.

Il fallait que l'impatience de sa position devînt assez forte pour détruire toutes ses répugnances; ce fut précisément ce qui arriva.

Décidé à tout pour échapper à une gêne qu'il ne pouvait supporter plus long-temps, mais craignant que ses scrupules ne lui revinssent, Antoine ne voulut pas remettre à plus tard sa démarche près de M. Pillet. Il profita du mouvement de résolution instantané et presque fiévreux que lui avait inspiré la vue de Louise, et se rendit sur-le-champ chez son voisin.

Celui-ci reconnut, dès le premier coup d'œil, aux traits altérés d'Antoine, qu'il venait lui faire une demande. Il lança sur le jeune homme un sourire malicieux et vainqueur, et l'engagea à s'asseoir.

Mais, dès qu'il s'était trouvé en présence de M. Pillet, Larry avait senti s'évanouir tout son courage; il chercha vainement des mots pour expliquer le but de sa visite. L'avocat, qui eut pitié de son embarras, vint à son secours.

— Je vous vois peu depuis quelque temps, monsieur Larry, dit-il d'un ton bienveillant; êtes-vous plus occupé qu'autrefois?

— Je le suis moins que jamais, Monsieur, toutes mes journées se passent dans l'oisiveté et l'attente.

— J'avais cru que votre clientèle commençait à se former.

— Je l'avais cru aussi; mais depuis quatre mois tout se retire de moi.

— Depuis l'affaire des Rosiers? Je vous en avais averti.

— Il est vrai, Monsieur, mais j'avais besoin de cette leçon. Maintenant je sais qu'un avocat qui débute n'a point droit de faire son devoir; je tâcherai de ne plus l'oublier.

— Vous vous êtes fait une idée trop poétique de notre profession, mon jeune ami. Un avocat, voyez-vous, n'est, en définitive, qu'un honnête apothicaire qui tient boutique de drogues légales : bonnes ou mauvaises, il faut qu'il en vive, et, pour cela, il faut les vendre et non les donner. La générosité est une vertu trop dispendieuse pour les petites fortunes; c'est la prodigalité des bons cœurs. Puis, après tout, chacun vit de sa profession; pourquoi l'avocat ne vivrait-il point de la sienne? Son temps est sa marchandise; il ne peut en faire largesse, et il devrait graver sur la porte de son cabinet comme Scaliger : *Tempus meum est ager meus*, — *mon temps est mon champ*.

— C'est quelquefois un champ bien stérile, observa Larry en secouant la tête.

— Au début de la carrière, mais non à son déclin; car voilà le mauvais côté de notre profession; quand on est jeune, bien portant, plein de zèle, le travail vous manque, et plus tard, quand vous êtes devenu vieux et faible, il vous accable.

— Preuve éclatante de la bonne distribution du travail dans notre société.

— Sans doute, sans doute; mais on peut remédier à ces inconvéniens. Le jeune et le vieux peuvent s'associer : l'un apporte son expérience et ses cliens, l'autre son activité; il y a beaucoup de villes où l'on fait de ces ligues.

— Ah! je voudrais y être, soupira Antoine.

Le vieil avocat lui lança un regard perçant.

— Cela me conviendrait aussi merveilleusement, et j'y ai souvent pensé; mais, pour faire un tel arrangement, il faut bien s'entendre sur les attributions et les bénéfices de chacun.

— Je serais fort accommodant relativement à ces deux articles, répondit Larry, qui entrait parfaitement dans l'idée de maître Pillet, et comprenait ses propositions indirectes.

— Je sais qu'il est facile de s'accorder avec vous; mais vous concevez que l'ensemble des affaires a besoin d'être dirigé par une seule tête. Celui qui a par devers lui l'expérience doit conduire tout, préparer et incidenter les procédures; décider en dernier ressort de ce qui doit être essayé ou non. Le plus jeune, lui, a la partie active et brillante, la plaidoierie; mais il suit la route tracée. — C'est du moins ainsi que j'ai vu ces sortes de lignes organisées ailleurs et ces dispositions m'ont paru fort sages.

— Peut-être, dit Antoine avec embarras; cependant, Monsieur, dans ce cas, le plus jeune associé abdique son libre arbitre; ce n'est plus qu'un moyen entre les mains du plus vieux.

— Et quel inconvénient y voyez-vous, si le plus vieux s'en sert dans l'intérêt bien entendu de l'association?

— Mais il peut, dans certains cas, violenter ainsi la conscience de son confrère.

— Ah! s'écria M. Pillet, en riant, vous voilà revenu aux *Mille et une nuits* de la morale. Voulez-vous être homme de loi ou homme de conscience? il faut choisir. Libre à vous de préférer le noble à l'utile; mais alors tâchez de vivre de vos rentes, car les scrupules n'ont jamais fait la fortune de personne. Vous le disiez vous-même tout à l'heure, un avocat pauvre n'a pas le droit de faire son devoir, ou plutôt, il ne doit faire que son devoir d'avocat, qui est de plaider envers et contre tous.

— C'est vrai, c'est vrai, murmura Antoine avec accablement.

— D'ailleurs, cher monsieur Larry, pourquoi vouloir être plus honnête homme que tout le monde ? Je comprends ces générosités de jeunesse ; mais, avant toute obligation, nous en avons une rigoureuse, c'est de veiller sur le sort des êtres que nous aimons. Nous pouvons sacrifier notre aisance à une idée ; mais avons-nous le droit de sacrifier la leur ? Qu'est-ce que le devoir, d'ailleurs ? un mot dont le sens varie selon les hommes, selon les temps, selon l'heure, selon la digestion.

Le premier devoir, le plus clair, le seul incontestable, c'est de faire le bonheur de ceux qui nous sont confiés.

— Vous avez raison, Monsieur.

— Ainsi, vous voyez que le plan d'association dont je vous parle est aussi raisonnable qu'avantageux ; seulement il faut qu'on le cimente de manière à ce qu'il soit durable ; car une fois connu et en rapport avec les cliens, le jeune avocat pourrait laisser là son associé.

— Y pensez-vous, Monsieur? mais ce serait un vol!

— Nullement, on pourrait fort bien colorer une semblable action... en parlant, par exemple, d'un cas de conscience qui aurait forcé à rompre.

— Alors l'opinion publique ferait justice.

— Cette justice-là est encore plus mauvaise que l'autre ; vous devez en savoir quelque chose.

— Que faire donc ?

— Une chose fort simple, signer un acte de société qui laisse la gérance au vieil avocat, et que son co-intéressé ne puisse rompre sans de forts dommages-intérêts.

Antoine fit un mouvement. Jusqu'alors il avait seulement entrevu le projet de maître Pillet. Il avait bien compris vaguement que celui-ci voulait le placer dans sa dépendance et l'acquérir comme une chose ; mais il n'avait point voulu trop creuser les intentions du vieil avocat, craignant d'y voir des obstacles d'honneur qui l'eussent empêché d'accepter ses offres. Le désir de se faire une meilleure situation était si vif en lui, qu'il avait peur de ses propres délicatesses, et que, pendant toute cette conversation, il avait évité de les interroger; mais la dernière condition était trop claire pour qu'il ne reculât pas devant son acceptation. S'associer ainsi à un homme d'une moralité douteuse, avec l'obligation de se soumettre à sa direction, et en renonçant à la faculté de rompre le traité, c'eût été plus que de la faiblesse, c'eût été de l'improbité ou de la folie.

Tout ce qu'il y avait d'honnête dans le cœur d'Antoine se révolta à cette idée; et il eut honte de penser qu'il avait donné le droit de lui faire une telle proposition. Sa délicatesse et son orgueil se réveillèrent en même temps, et se levant, il dit avec beaucoup de vivacité :

— Ce que vous proposez, Monsieur, n'est plus une association honorable; c'est une exploitation dans laquelle le plus jeune ferait l'abandon de son honneur et servirait, comme une machine aveugle, les desseins de l'autre, sans pouvoir reculer, même devant l'infamie; je n'accepterai jamais de pareilles conditions.

— Quelqu'un vous les a donc faites? demanda maître Pillet; je croyais seulement parler de ce que j'avais vu ailleurs.

Antoine le regarda avec étonnement; mais, voyant l'impassibilité du vieillard, il rougit de tant d'effronterie.

— Pardon, Monsieur, dit-il, en baissant les yeux, je me retire.

Et il gagna la porte.

— Je serai charmé de savoir que vous avez formé une ligue avantageuse, dit maître Pillet d'un ton railleur.

Larry salua et sortit.

—Va donc, maître sot, grommela le vieillard en refermant la porte avec colère; j'ai perdu un an avec toi, croyant que la misère aurait fini par t'assouplir ; mais tout est fini entre nous; garde ta vertu et ta faim; lors même que tu voudrais me revenir plus tard, il ne sera plus temps, cette porte sera fermée pour toi sans retour.

Mais Antoine n'avait nulle idée de revenir, il venait de perdre sa dernière espérance; il sentait bien qu'après ce qui s'était passé entre lui et maître Pillet il ne devait plus compter que sur Dieu.

VI.

Quoique Antoine eût poussé du pied la seule planche de salut qui pût lui servir de pont sur l'abîme, il ne s'abandonna point à un désespoir visible; mais il reprit, vis à vis de Louise, son attitude grave et sa résignation silencieuse.

Malheureusement, la jeune fille n'avait point compris ce calme courageux; elle n'y avait vu que de l'indifférence : parce qu'il ne la plaignait pas tout haut, elle crut qu'il n'avait pas remarqué ses souffrances, et elle se trouva blessée de ce défaut d'attention.

Tout se réunissait ainsi pour l'éloigner du jeune homme. Déjà, à son insu, l'aversion qu'elle ressentait pour la mère avait rejailli sur le fils; car, sans être la cause de ses peines, il s'y trouvait associé dans sa pensée; il n'avait point su la protéger, et il est rare que la femme pardonne à un homme son impuissance. Puis, son cœur qui s'intéressait ailleurs cherchait peut-être, sans qu'elle se l'avouât, les moyens d'être ingrat envers Antoine. Liée à lui par des promesses et des bienfaits, elle eût voulu amoindrir ces derniers, comme elle avait déjà oublié les autres, pour se justifier, à ses propres yeux, de la douleur qu'elle lui préparait.

Quoi qu'il en soit, deux mois s'étaient écoulés depuis la mort de madame Poirson, et la position de Louise devenait chaque jour plus insupportable pour elle : bien des fois elle avait songé à s'en affranchir par la fuite; mais où aller? Que devenir sans protecteur et sans ressources?

La vente faite chez sa marraine avait à peine suffi pour payer les dettes de celle-ci, et la jeune fille n'en avait rien retiré. Peut-être que son travail aurait pu la faire vivre; mais à qui s'adresser pour obtenir le prix de ce travail? Où trouver un asile? Comment se procurer l'humble ménage indispensable à sa mansarde d'ouvrière ; la chaise pour s'asseoir, le réchaud pour apprêter son repas, le lit de sangle pour reposer sa tête ?

Au milieu de toutes ces douleurs, une espérance lui restait encore ; Arthur ne devait point tarder à revenir, et lui, sans doute, il trouverait moyen de la retirer de cet abîme : lui, il avait une mère qui était riche et bonne, et qui ne refuserait pas de tendre la main à une orpheline. D'ailleurs, rien ne dût-il s'améliorer dans la position de la jeune fille, elle verrait Arthur, et cela seul embellirait tout pour elle. Elle retrouverait ses gais entretiens, ses tendresses aimables, ses consolations toujours appropriées à son ame, ses joyeux châteaux en Espagne qui ne parlaient que de fêtes, de plaisirs et de richesses. Quel bonheur quand reviendraient ces belles heures! Alors le reste changerait, alors le reste peut-être deviendrait possible à supporter; car, de toutes ses douleurs actuelles, l'absence d'Arthur était la plus grande.

Cependant cette absence se prolongeait bien au delà de l'époque fixée, et une inquiétude, qui n'était plus seulement de l'impatience, commençait à tourmenter Louise.

Un jour que la veuve Larry lui avait encore reproché l'asile qu'elle lui accordait, et qu'assise dans un coin de l'arrière-boutique pour cacher ses larmes, la jeune fille songeait tristement à son abandon, elle entendit frapper à la porte du corridor; elle se leva pour aller ouvrir, en se hâtant d'essuyer ses yeux ; mais à peine avait-elle fait quelques pas, que Boissard entra.

— Arthur !

— Louise !

Ces deux cris, jetés en même temps, se confondirent en un seul, et les deux amans se trouvèrent dans les bras l'un de l'autre.

Ce ne furent d'abord, de la part de Louise, que des sanglots et des phrases entre-coupées.

— Vous voilà enfin.... Oh ! que j'ai souffert !.... Est-ce bien vous ?... Arthur !...

Et le jeune homme, ému, serrait les mains de l'enfant, les embrassait en lui donnant mille noms tendres, la suppliait de se calmer et pleurait lui-même, lui faisait mille questions, puis lui défendait de répondre.

Enfin pourtant tous deux s'apaisèrent peu à peu et purent s'entendre.

Louise lui raconta tout ce qui s'était passé pendant son absence, non de suite et complètement, mais en s'interrompant mille fois pour le regarder, en se levant pour chanter et battre des mains, en oubliant les évènemens, pour lui dire combien de fois elle avait rêvé à lui.

Puis venaient les câlineries curieuses et les questions. Qu'avait-il fait pendant un mois entier? Avait-il bien dansé? N'avait-il jamais pensé à elle, pauvre fille si seule et si désolée?

Et alors un nuage de tristesse couvrait le front de la folâtre, une larme se suspendait à son sourire commencé, et elle racontait quelles cruelles nuits elle avait passées près du lit de sa marraine, combien elle avait été malheureuse depuis, combien elle avait pensé à Arthur, et comme elle avait employé son temps à pleurer et à l'attendre.

A tout ce ravissant bavardage, le jeune homme ne répondait que par des caresses et de tendres exclamations; mais enfin, lorsque ce premier moment d'expansion eut fait place à une joie plus calme, il interrogea Louise sur sa position.

Celle-ci lui raconta combien elle avait à souffrir de la haine de la veuve Larry.

— J'avais prévu tout cela, dit Arthur, vous ne pouvez rester dans cet état.

— Comment en pourrais-je sortir ?

— J'y ai déjà pensé : dites-moi, si vous touchiez la pension que l'on faisait à votre marraine, cela vous suffirait-il ?

— Oh ! je serais riche.

— Eh bien ! cette pension vous sera continuée, j'en ai déjà parlé à ma mère qui y consent.

— Est-ce possible ? J'aurais une rente, une rente à moi ? je pourrais quitter cette maison ? Oh ! mon Dieu, est-ce possible ?

— Rien de plus facile, chère enfant !

— Et c'est à vous que je devrai cela, reprit la jeune fille, les larmes aux yeux et en joignant les mains ; ah ! c'est là peut-être ma plus grande joie : je pourrai dire à tout le monde que c'est vous qui m'avez rendue heureuse. Oh ! mon Dieu, comme vous êtes bon, comme vous méritez qu'on vous aime !

Elle pressait les mains du jeune homme entre les siennes en sanglotant ; celui-ci l'attira sur son cœur et baisa ses yeux humides.

— Cher ange, dit-il, ce que je fais est bien peu.

— Bien peu ! trouvez-vous donc que ce soit bien peu, mon repos et mon bonheur ? Ah ! je veux sortir d'ici le plus tôt possible.

— Demain je vous apporterai le contrat et le premier terme.

— Et moi je retournerai dans notre ancien logement; vous en connaissez le chemin, n'est-ce pas? vous y viendrez comme autrefois? Mon Dieu, quelle joie! Je pourrai vous recevoir sans craindre qu'on me le défende. Ce ne sera pas comme ici où j'ai toujours peur; je serai chez moi, chez moi! Oh! cher Arthur, vous viendrez souvent?

— Bien souvent, Louise.

— Comme je serai heureuse! Que vous êtes bon! Tenez, j'ai le cœur si serré de joie!... J'étouffe. Mais savez-vous aussi que c'est comme un rêve! Moi, je vais être riche, être ma maitresse; je vais vivre seule et chez moi. Oh! j'en deviendrai folle.

L'enfant riait aux éclats en essuyant ses yeux; elle parcourait la chambre en sautant, tandis que Boissard, ravi de cette naïve joie, riait lui-même tout attendri.

Enfin, pourtant, il fallut songer à se séparer. Le jeune homme promit de revenir le lendemain, et se retira non sans avoir bien des fois baisé, quitté et repris les mains de Louise, qui ne voulait pas le laisser partir.

Le soir, Antoine sut que Boissard était venu; mais, préoccupé, il ne fit aucune question. Louise, de son côté, garda le silence, trop heureuse que rien ne la dérangeât de son bonheur.

C'est qu'aussi ce bonheur était immense! Il était si doux, après tant de journées sombres, de voir un rayon de soleil tomber des nuages! Pauvre papillon si long-temps enseveli dans la chrysalide, l'espérance venait enfin d'éclore; elle avait secoué ses ailes et pris son vol dans le ciel. La douce nuit agitée que passa la jeune fille! les beaux rêves qu'elle fit, les yeux ouverts, en regardant le ciel de son lit! Comme elle appela de fois l'aurore! comme elle l'aima de venir! comme elle se leva fraîche et reposée de la fièvre délicieuse de cette nuit! Le jour venait enfin; c'était le jour, c'était pour elle la délivrance; une nouvelle vie de bonheur et de liberté.

VII.

Le jour même où le retour d'Arthur apporta tant de joie à Louise, et presque au même instant, Antoine regagnait le faubourg d'Autrin, l'air soucieux : il allait devant lui sans rien voir, lorsqu'un bras lui barra le passage.

— Parbleu, dit Randel, tu rêves au moins à une tragédie pour marcher ainsi le menton dans ton jabot et les yeux sur les pavés.

— A peu près, répondit Larry en souriant tristement; je me demandais ce que nous faisons sur la terre, et si l'on serait bien fou, en définitive, d'aller se jeter la tête la première dans la rivière.

— Incontestablement, quand il n'y a pas assez d'eau pour se noyer, comme aujourd'hui; et est-ce pour ton propre compte, dis-moi, que tu te posais cette question d'Hamlet?

— Non, mais je trouve parfois que la vie est une bien cruelle plaisanterie de la part de Dieu.

— Quand on a un bon caractère on s'y fait. Tel que tu me vois, je viens, par exemple, de visiter un homme qui est persuadé que tout est pour le mieux dans le monde depuis ce matin.

— Il a peut-être enterré sa femme ou hérité de son père ?

— Mauvais railleur ! Il est lui-même au lit, malade d'une éruption de joie, comme aurait dit notre professeur de physiologie ; il vient de gagner à la loterie une principauté sur les bords du Rhin.

— Quelle plaisanterie !

— C'est ce que j'ai dit d'abord ; mais on m'a fait voir les papiers et la lettre du chargé d'affaires de Francfort : la chose est certaine.

— Et quelle est la valeur du domaine ?

— Deux cent mille florins, selon les prospectus : vu la loyauté proverbiale des Allemands, je suppose qu'ils n'ont exagéré que de moitié, ce qui porterait encore le gain net à environ deux cent mille francs.

— Deux cent mille francs, répéta Antoine pensif : comme une existence peut changer avec cela ! Et cet homme était pauvre ?

— Un commis à mille francs dans les bureaux de l'enregistrement. Juge de ce qu'il a dû éprouver en lisant la lettre du banquier de Francfort ! Ses deux cent mille florins lui sont montés à la gorge, et l'on a craint une attaque d'apoplexie. Je me trouvais là fort à propos ; j'ai donné les premiers soins, et le malade va bien ; de sorte que tout est pour le mieux, et que je devrai aussi, moi, à la loterie une rente viagère sous la forme d'un riche client.

— C'est plus que la roue de fortune ne rapporte à la plupart de ceux qui s'y confient.

— En supposant que ce ne soit rien que de gagner une espérance : depuis quelque temps, on déclame contre la loterie sans songer que c'est la seule spéculation du pauvre. Sans elle comment pourrait-il rêver qu'il devient riche, qu'il a un cuisinier et du tabac à discrétion ? Pour trois francs il achète un rêve qui le rend heureux huit jours ; où lui vendrait-on autant de bonheur pour le même prix ? Abolir les loteries, c'est clouer l'imagination du prolétaire à la réalité, c'est lui défendre la seule chose qu'il partage avec le riche, le monde des chimères; c'est graver au dessus de son enfer la fatale inscription du Dante : *Au delà plus d'espoir!*

— D'où tu conclus qu'il faut garder les loteries ?

— Ou supprimer la misère ; je laisse le choix.

Antoine sourit avec distraction, mais ne répondit pas, car son esprit était ailleurs. La nouvelle de Randel l'avait singulièrement troublé. Il ne pouvait songer à l'enrichissement subit du vieux commis, sans éprouver une sorte de malaise jaloux, et pourtant il sentait le besoin d'en parler, il était avide des moindres détails.

— Que compte-t-il faire de cette fortune

inattendue? demanda-t-il au jeune médecin, après un moment de silence.

— Qui? mon malade? Il veut vendre son domaine germanique, pour en acheter un autre ici.

— Cette vente lui sera-t-elle facile à une si grande distance?

— Voilà précisément l'embarras. Notre homme a vécu jusqu'à présent dans une vertueuse terreur de la justice, et s'effraie à l'idée de charger un homme de loi de cette liquidation; d'un autre côté, il redoute les déplacemens, comme un commis qui a passé trente années assis dans un bureau, avec des fausses manches. Il ajoute qu'il n'entend rien aux affaires; de sorte qu'au total il se trouve, dans ce moment, plus gêné de sa subite opulence qu'il ne l'était de sa pauvreté; aussi m'exprimait-il tout à l'heure le désir de rencontrer quelqu'un qui voulût se charger, moyennant remise, du recouvrement de sa créance.

— Et n'a-t-il encore songé à personne?

— Non. Il y a, vois-tu, une difficulté capitale; mon commis, qui ne ressemble pas aux sous-lieutenans d'Opéra comique, a vécu avec ses mille francs sans faire d'économie, et n'a pas même les capitaux nécessaires pour défrayer un agent et faire les dépenses de liquidation.

— De sorte qu'il faudrait pouvoir avancer ces fonds?

Sans doute.

— Ah! si je les avais.

— Que dis-tu, s'écria Randel, tu te chargerais de cette affaire? Mais au fait, j'y pense, cela te conviendrait merveilleusement; tu sais l'allemand, tu es avocat!... Par Dieu, mon cher, il faut que tu aies part à l'aubaine; tu n'as pas de clientèle assez formée pour te retenir ici, et si tu sais faire tes arrangemens avec le bonhomme, tu peux gagner dans cette affaire quelque trente mille francs.

— Et comment le pourrais-je? Ces avances je ne puis les faire.

— Eh bien! quoi! de l'argent! Parbleu, il n'est pas si difficile d'en trouver; il suffit.

pour cela, de s'adresser à ceux qui en ont. Je suis sûr que le banquier Lamy te fournira ce qu'il te faut; je le connais beaucoup, c'est moi qui soigne sa cousine : et puis, à toute force, vois-tu, j'ai fait quelques économies; une somme ronde de deux mille écus, que je garde pour acheter la corbeille de noce, quand j'aurai trouvé une femme qui m'apportera le double de revenu, et comme je n'ai pas la moindre héritière en vue pour le moment, ils sont entièrement à ton service.

Larry lui serra la main tout attendri, et voulut parler, Randel l'en empêcha.

— C'est la chose la plus simple du monde; cela ne vaut pas un remercîment. Je vais retourner chez le vieux commis pour lui annoncer que j'ai ce qu'il lui faut. Tu peux regarder cette affaire comme assurée; seulement exige de bonnes conditions, fais-toi une part de lion : plus tu lui demanderas, plus il croira à ton habileté. La plupart des hommes sont ainsi faits : rangez-vous devant eux et montrez-vous modeste, ils seront insolens; mais, si vous les coudoyez et que vous leur marchiez sur les pieds, ils vous tireront leurs chapeaux.

Randel retourna, en effet, chez M. Paulin, et fit si bien qu'il le décida à prendre des arrangemens avec Larry.

Le commis eut, dès le soir même, une entrevue avec celui-ci, et lui donna tous ses titres pour qu'il pût les examiner à loisir.

Le lendemain, Antoine alla voir Randel, lui communiqua le résultat de cet examen et convint avec lui des conditions auxquelles il devrait se charger de l'affaire. Les deux jeunes gens se rendirent ensuite chez M. Paulin, qui accepta les propositions de Larry. Acte fut dressé des conventions, et le jeune avocat promit de partir le surlendemain.

VIII.

Tout cela s'était passé avec une telle rapidité, qu'Antoine se crut le jouet d'un rêve. Il ne pouvait se persuader qu'un instant eût ainsi changé sa situation. Était-ce bien lui qui allait partir, lui qui allait traverser la France, voir le Rhin, fouler le sol de l'Allemagne? Que de fois, le front penché sur Goëthe, Schiller et Werner, il avait pensé à ce grand pélerinage, mais seulement comme à une de ces histoires de fées que l'on raconte à son ame pour la distraire! Et maintenant, voilà que ce songe était vrai! Il allait partir, il partait! et il ne reviendrait pas seulement tout imprégné des poétiques parfums de l'Allemagne, il reviendrait presque riche et capable enfin d'offrir un abri à celle qu'il aimait.

Ces pensées l'exaltaient jusqu'au délire. Il courut comme un fou chez sa mère, qu'il trouva dans la boutique, et lui raconta brièvement ce qui venait de se passer. En toute autre occasion, la veuve Larry se serait effarouchée d'une décision aussi subite; mais l'idée que cet éloignement pourrait rompre le mariage d'Antoine, et l'assurance donnée par celui-ci que l'affaire *rapporterait gros*, empêchèrent ses objections.

Après l'avoir avertie de tout préparer pour son départ, Larry se hâta donc de passer dans l'arrière-boutique où se trouvait Louise. Elle venait de quitter Arthur, et son visage, comme celui d'Antoine, rayonnait de bonheur. Les deux jeunes gens s'abordèrent avec tant de joie dans le cœur, que leur bonjour eut une expression d'aisance et d'affection dont ils avaient perdu l'habitude depuis long-temps.

— J'ai à vous parler, chère Louise, dit Antoine, je viens vous annoncer quelque chose d'heureux.

— Ce jour est donc destiné à la joie, répondit-elle avec timidité, car j'ai aussi à vous faire part d'une bonne nouvelle.

— Quelle est-elle?

— Voyons d'abord la vôtre.

Antoine sourit : il était debout devant Louise, jouant avec ses mains qu'il avait prises et jetant sur elle des regards pleins d'amour. Il savourait d'avance le plaisir qu'il allait lui causer.

— Préparez-vous à tout ce qu'il y a de plus extraordinaire. Il m'arrive une chose inouie, incroyable; je suis menacé de devenir presque riche.

— Est-ce vrai ?

— Riche pour nous, du moins, dont les vœux sont modestes; car vous n'êtes pas ambitieuse, n'est-ce pas ? Vous n'aurez pas besoin d'un hôtel pour loger notre bonheur ? Trois chambres avec des rideaux blancs, un lit de cerisier et des fleurs, cela ne vous semblerait-il pas un palais ?

Louise baissa les yeux avec un malaise évident; mais Antoine ne vit dans ce trouble qu'un embarras de jeune fille, qu'il ne voulut pas augmenter.

Il baisa doucement les mains de l'orpheline, puis il raconta le traité qu'il venait de conclure avec M. Paulin, lui annonçant qu'il partait le surlendemain.

Elle leva les yeux sur lui avec étonnement :

— Est-ce possible ? un départ si subit et pour un si long voyage !

— L'affaire ne peut souffrir de retard.

— Et combien de temps durera votre absence ?

— Deux ou trois mois peut-être.

La jeune fille parut saisie ; mais il eût été difficile de dire si ce saisissement était dû à la douleur ou à la joie : Larry crut naturellement que l'idée de se trouver seule et sans appui la troublait.

— Ne vous affligez pas, lui dit-il en la rapprochant tendrement de son cœur, il m'est cruel de vous laisser seule ici ; mais je serai bientôt de retour, et alors tous vos tourmens seront finis. Jusque-là, soyez patiente pour supporter les durs caprices de ma mère ; ces épreuves sont les dernières.

Louise sentit que c'était le moment de parler.

— Mon courage est à bout, dit-elle, et après votre départ je souffrirais trop ici pour y rester.

— Hélas ! comment donc faire ?

— Je vous ai dit que j'avais aussi une bonne nouvelle à vous apprendre ; comme vous je suis devenue riche, et je puis vivre désormais sans être à charge à personne ; M. Boissard est venu me voir et m'a annoncé que la pension faite à ma marraine, par sa famille, m'était continuée.

— Et vous avez accepté ?

Louise le regarda avec surprise.

— Pourquoi l'aurais-je refusé? Il me semble qu'autrefois vous avez demandé vous-même qu'il en fût ainsi..

— Alors je réclamais un droit, je ne sollicitais pas une faveur.

— Qu'importe sous quelle forme on rend justice?

Larry laissa échapper un geste d'impatience.

— Qu'importe? Recevez-vous donc du même air le paiement de ce qui vous est dû et une aumône?

Ce mot parut blesser la jeune fille.

— L'asile que je reçois ici, répondit-elle

d'une voix émue, est aussi une aumône; s'il y a honte à accepter de telles faveurs, il faut accuser le sort et non ma volonté.

— Vous avez raison, Louise, j'ai mal parlé, pardonnez-moi; mais vous devez comprendre que votre position, vis à vis des héritiers Boissard, n'est pas la même que vis à vis de nous : vous êtes déjà de notre famille, tandis que vous n'êtes pour eux qu'une étrangère.

— Ceux qui vous font du bien ne peuvent vous être étrangers.

— Vous êtes bien reconnaissante pour ces gens !

— Aimeriez-vous mieux que je fusse ingrate ?

— J'aimerais mieux vous voir refuser leurs présens ; ah ! croyez-moi, j'en ai l'expérience, il n'est pas bon de se faire ainsi l'obligé du riche ; il est moins dangereux de l'avoir pour ennemi que pour bienfaiteur.

— Cela peut être, mais je n'ai pas eu le choix. Je vous l'ai dit, mon courage était à bout ; en acceptant j'ai songé que je pourrais échapper à une dépendance pénible, retourner dans mon pauvre logement d'autrefois, y vivre libre, tranquille du moins ; j'ai eu tort peut-être, mais tous les cœurs ne sont pas assez forts pour se résigner à une perpétuelle humiliation.

Il y avait, dans l'accent avec lequel ces mots étaient prononcés, un mélange de mécontentement et de douleur qui laissa Antoine lui-même flottant entre le ressentiment et l'émotion.

— Je sais que vous avez souffert, dit-il ; ah ! je le sais trop.

— Pourquoi vouloir alors que je rejette le seul moyen d'échapper à ces souffrances ?

— Se peut-il que vous ne le compreniez pas? Ne voyez-vous pas que je voudrais vous rendre heureuse tout seul et sans le secours de personne ?

— J'aurais cru que, lorsqu'on aimait bien, on désirait le bonheur de la personne aimée, quelle que fût la main qui le donnât.

Larry posa la main sur sa poitrine avec une violence retenue.

— J'ignore, dit-il, s'il en est qui peuvent mieux aimer que moi ; mais Dieu sait que j'ai mis dans cette affection tout ce que mon cœur pouvait avoir de dévouement. Oui, Louise, votre repos m'est plus cher que la vie ; mais c'est parce que j'aime ce repos que je voudrais vous voir refuser ce nouveau bienfait. Je hais les gens que vous acceptez pour protecteurs, parce que je les ai toujours rencontrés entre vous et moi : chaque fois que je suis accouru espérant vous porter une joie (et cela était bien rare !), j'ai trouvé qu'ils m'avaient prévenu et qu'ils avaient atteint sans sacrifice, sans courage, seulement avec leur or, le but que j'avais péniblement cherché. Que d'autres vous rendent heureuse, si je ne le puis, je m'y résignerai ; acceptez une orgueilleuse pitié, je baisserai la tête en silence ; mais ne recevez rien des Boissard, je vous en conjure, rien des Boissard; mon instinct me dit qu'ils nous seront fatals.

— Et n'en avez-vous donc rien accepté vous-même? murmura Louise, d'une voix tremblante et irritée.

Antoine tressaillit et devint pâle. Il regarda un instant la jeune fille avec une surprise douloureuse.

— C'est vrai, répondit-il enfin, vous avez raison, je n'ai pas droit de vous donner ces conseils.

Mais le mouvement de colère qui avait emporté Louise avait déjà fait place au repentir. Elle comprit que, pour défendre Arthur, elle s'était montrée cruelle envers Larry en le blessant au point le plus sensible de son orgueil; honteuse de sa dureté, elle se laissa tomber sur une chaise, cacha son visage dans ses mains et fondit en larmes.

En entendant ses sanglots, Antoine releva la tête, il croisa les mains avec une profonde douleur, et demeura un instant debout, la regardant.

— Pourquoi pleurez-vous? demanda-t-il; est-ce de regret? Ah! consolez-vous; mon cœur est habitué à ces coups, et vous pouvez le frapper sans craindre ni reproche ni plainte.

Et comme les sanglots de Louise redoublaient, désespéré, il porta la main à son front.

—Ah! je n'aurai donc de pouvoir que pour vous arracher des larmes, je suis bien malheureux! Mais que vous ai-je dit, que vous ai-je fait? Comment avons-nous été amenés là? Je suis venu ici plein d'une joie que j'espérais vous faire partager, et à peine ensemble, voilà que nous en sommes venus aux reproches, à la colère! Mon Dieu! mais quelle fatalité pèse donc sur nous!

Il s'approcha de la jeune fille, les yeux humides, et la voix tremblante.

—Louise, oublions tout ce qui vient de se passer, supposez que j'arrive, que je n'ai point parlé; essuyez vos larmes, souriez-moi, j'ai besoin d'être heureux, je ne veux pas perdre dans des querelles un dernier instant que j'ai à vous voir; s'il est des choses sur lesquelles nous ne pouvons nous entendre, eh bien ! n'en parlons jamais.

— Oh! je ne demande pas mieux.

— Votre main alors ?

La jeune fille la lui donna, et il y déposa un baiser.

Un assez long silence suivit : il était difficile qu'arrivée à ce point, la conversation ne tombât pas subitement en convenant de mettre fin à leur contestation, avant de s'être entendus; Louise et Antoine ne purent échapper à l'embarras qui suit toujours ces querelles sans raccommodement.

Ils étaient d'ailleurs encore trop préoccupés pour passer sur-le-champ à d'autres idées, et, comme il arrive toujours après des débats, où les raisons n'ont point été épuisées, ils continuèrent la discussion au dedans d'eux-mêmes.

Antoine tenta pourtant quelques efforts pour faire cesser cette froideur, mais ils furent sans résultat ; l'entretien languit jusqu'au moment où la veuve Larry l'interrompit.

IX.

La soirée et le lendemain tout entier s'écoulèrent sans qu'il fût possible à Antoine de ramener la conversation qu'il avait eue la veille. Louise, qui craignait une nouvelle explication, sut échapper sans affectation à toutes les occasions de se trouver seule avec lui. Les choses en étaient restées au point le plus désirable pour elle : elle avait exprimé à Larry l'intention de quitter sa mère, un peu vaguement, mais de manière pourtant à pouvoir accomplir son projet sans qu'il eût le droit de s'étonner ni de se plaindre; il lui importait seulement d'éviter tout nouvel entretien dans lequel celui-ci aurait pu s'opposer positivement à cette séparation, ou exiger d'elle des promesses. Elle pensait qu'en laissant ainsi tout en suspens, il lui serait facile, une fois le jeune homme parti, de quitter la vieille veuve et de retourner vivre seule où elle avait vécu autrefois.

Un sentiment intime l'avertissait bien confusément que cette conduite manquait de loyauté, et qu'agir ainsi, c'était, en définitive, tromper Antoine; mais, par un instinct de passion, elle évitait de s'arrêter sur cette pensée : l'œil uniquement fixé sur son but, elle ne s'occupait de rien autre chose, ne regardait rien au delà.

Depuis six mois que son amour pour Arthur allait croissant, c'était à peine si, de loin en loin, le souvenir de ses engagemens avec Larry était venu la troubler. On eût dit que cette nouvelle affection avait suspendu en elle l'action de la mémoire et de la conscience, tant son oubli ressemblait à de la bonne foi. Étrange effet des passions, qui deviennent ingénues à force d'être violentes, et qui finissent par croire leur satisfaction innocente à force de la sentir nécessaire.

Du reste, aux heures même où quelques remords venaient troubler Louise, elle ne manquait pas de raisons pour s'excuser elle-même : elle se répétait qu'elle n'avait jamais promis à Antoine qu'une amitié de sœur, que leurs fiançailles avaient été une affaire de convenance et d'occasion plutôt qu'autre chose ; qu'en l'épousant, Larry n'aurait pu trouver ni donner le bonheur. Puis appelant à son secours l'autorité de l'exemple, comme il est d'usage dans tous ces raisonnemens que la conscience combat, elle se disait que les promesses de mariage n'avaient jamais été regardées comme irrévocables ; que beaucoup de jeunes filles rompaient une union convenue, et qu'il était plus sage de détruire à temps un pacte encore inachevé, qui pouvait avoir des suites dangereuses.

Mais il y avait en elle quelque chose qui résistait à toute la logique de sa passion. Au fond du cœur, elle entendait une voix lui demander pourquoi elle avait laissé à Antoine une espérance qui ne devait plus s'accomplir ; pourquoi, du jour où elle avait secrètement renoncé à lui, elle n'était point venue le lui déclarer : puis, la voix devenue plus sévère lui rappelait les services qu'elle avait depuis lors reçus de Larry à titre d'amante. N'étaient-ce point là des engagemens tacites ? n'était-ce pas lui renouveler les promesses faites précédemment ? Pourquoi avait-elle accepté un dévouement auquel elle n'avait plus de droit ?

A ces reproches de la voix intérieure, la jeune fille restait un instant interdite ; mais bientôt le souvenir d'Arthur revenait avec ses fascinations. Tout entière à son enivrement, elle imposait silence au cri de la conscience, et si la voix murmurait encore, semblable à l'enfant boudeur que les gronderies importunent, elle bouchait les oreilles de son ame pour ne plus rien entendre.

Comme il était facile de le prévoir, l'heure de partir arriva pour Antoine, sans que l'occasion de parler à Louise se fût présentée. Ses adieux à la jeune fille furent ce qu'ils pouvaient être en présence de sa mère, et il emporta, en partant, la douleur de n'avoir pu la serrer un instant dans ses bras et pleurer sur son front.

Quant à Louise, quoiqu'elle eût été émue de ce départ, elle se trouva soulagée lorsque Larry ne fut plus là ; car sa vue était pour elle une sorte de reproche vivant. Lui parti, elle se trouva plus tranquille et plus hardie pour l'accomplissement de son projet.

Peu de jours lui suffirent pour s'y préparer. Les deux chambres qu'elle avait occupées avec sa marraine, chez M. Pillet, se trouvaient encore vacantes; elle les loua, y fit apporter quelques meubles, et annonça enfin à la veuve Larry son intention de la quitter.

Par suite d'un esprit de contradiction assez fréquent chez les vieilles gens, la mère d'Antoine, qui avait refusé si absolument de recevoir Louise, se montra presque aussi irritée de son départ : elle l'accusa d'ingratitude, de manque d'égards, et finit par des remarques grossières sur les jeunes filles que la surveillance gêne et qui ont besoin de vivre seules.

Mais Louise fit peu d'attention à ces injures; elle était libre, plus riche qu'elle ne l'avait jamais été, et sûre de voir Arthur sans obstacle! Que lui fallait-il de plus?

X.

I.

Quand je suis parti sans avoir pu vous dire adieu, chère Louise, j'emportais l'espérance de vous écrire, et cette espérance m'a consolé. J'ai toujours préféré les lettres aux entretiens. Soit timidité, soit gaucherie, je ne puis parler à personne sans éprouver un embarras invincible. Sentir un regard sur moi m'effraie; je m'épouvante de ma propre voix, et si je me laisse emporter un instant et qu'il m'arrive tout à coup de m'entendre, j'éprouve le même saisissement que le musicien obscur exécutant une symphonie, qui s'apercevrait que tous les instrumens se sont tus et qu'il joue un solo.

En écrivant, je suis à l'aise, parce qu'on ne m'observe pas. Je n'ai pas à me préoccuper de ma pose, à m'inquiéter de mes gestes. Puis, mon esprit un peu lent s'accommode mieux de ce long monologue des lettres. Le dialogue l'étourdit, le trouble et l'effarouche. Il s'égare au milieu de ce feu croisé, dans lequel il faut plus d'audace que de bon-sens. Je cherche toujours l'ennemi à la place d'où est parti le dernier coup, tandis que déjà ailleurs il me fait, d'un autre côté, une nouvelle blessure.

J'avais besoin de vous dire tout cela, pour vous faire comprendre le bonheur que j'éprouve à vous écrire. Ce que je n'osais, ce que je ne pouvais vous exprimer, je vais l'oser et le pouvoir maintenant. Oh! que de fois, lorsque j'étais près de vous, j'ai désiré être absent dans ce seul but! que de fois j'ai passé mes soirées à m'épancher dans des lettres que vous ne deviez jamais recevoir et dans lesquelles je vous racontais tous les secrets de mes souffrances ou de mon amour!

Un jour, je l'espère, vous me demanderez à voir ces lettres, Louise; nous les lirons ensemble, mais des yeux seulement, car les lire tout haut, ce serait parler, et toutes mes hontes me reviendraient.

Les premières heures qui ont suivi mon

départ de Rennes ne m'ont laissé que le souvenir d'un vague malaise. J'étais si étourdi de vous avoir quittée que je me trouvais dans l'impuissance de penser. Le roulement de la voiture sur les pavés semblait avoir passé en moi; je n'avais plus conscience de mon existence; je me regardais vivre avec étonnement et curiosité : tout me semblait un rêve.

Mais, après ce premier trouble, j'ai été pris d'une crise d'émotion. J'ai pensé à la querelle que nous avions eue peu avant mon départ, à nos récriminations réciproques, à vos larmes, et j'ai été moi-même prêt à pleurer. J'aurais voulu revenir sur mes pas pour implorer mon pardon et m'assurer que vous n'étiez plus triste, ni irritée contre moi. Je me demandais comment nous avions pu en venir à ces extrémités ; je trouvais les causes de mon mécontentement misérables, je m'accusais d'avoir été injuste et dur envers vous. Dans ce moment, je vous pardonnais tout, je vous approuvais sur tout. J'avais oublié ce qui m'avait souvent choqué dans vos habitudes ou vos opinions, je ne pensais qu'à ce dernier regard que vous m'aviez jeté en partant, à cette larme que j'avais vue au bord de vos cils, à ce geste amical que vous m'aviez fait de la fenêtre quand la voiture m'emportait.....

Ah ! pourquoi n'avons-nous pas toujours, pour les objets de notre amour, cette indulgence sans borne que vous inspire leur absence? Comme nous regrettons alors les heures perdues dans de folles querelles! comme nous avons honte des larmes que nous avons fait verser! Que de charmes méconnus, que de joies gaspillées, que d'existence fauchée en fleur! Hélas! on n'aime bien ceux que l'on aime que deux fois dans toute la vie : à l'heure du départ et à celle de la mort.

Depuis que je vous ai quittée, j'ai pensé à ce que vous avez fait, Louise, et à cette pension que j'aurais voulu vous voir refuser. Peut-être, mon désir était-il né de l'expérience, peut-être aussi de l'orgueil; car qui peut savoir au juste d'où viennent ses désirs? Ils sont semblables à la source des fleuves, que forment mille ruisseaux souterrains, dont on ignore l'origine. Cependant, Louise, je crains d'avoir eu raison pour l'avenir. Dans le monde, c'est moins du mal que du bien qu'il faut se défier. Le mal se guérit et s'oublie, mais le bienfait accepté est une chaîne que l'on se rive à jamais au cœur. Je sais bien qu'une fois notre position améliorée, vous refuserez les largesses de la famille Boissard, mais vous ne pourrez plus vous délivrer du souvenir de l'obligation reçue ; il vous faudra payer votre tribut perpétuel de reconnaissance, et vous verrez que ces rentes viagères, si légères d'abord, peuvent devenir bien lourdes à la longue.

Mais comment sauriez-vous cela, vous, pauvre enfant, qui avez encore si peu vu la vie? Votre ame est plus jeune que votre âge. Jeune par ignorance et par nature.

J'ai trop oublié cela près de vous. J'ai été triste quand vous étiez gaie, inquiet quand vous étiez sereine ; comment aurions-nous pu nous entendre? Nous regardions le monde, moi, du haut de la montagne aride ; vous, de la vallée gazouillante. J'aurais dû vous aller chercher, et vous prendre à mon bras, pour vous faire monter; au lieu de cela, je vous ai crié avec impatience de venir à moi, et vous, qui cueilliez des fleurs et qui écoutiez des oiseaux, vous ne m'avez point entendu. Voilà, je le crains bien, la cause de cette froide réserve qui a toujours existé entre nous.

Demandez-moi comment il se fait que je ne me sois aperçu de tout ceci qu'aujourd'hui? Je vous répondrai : parce que c'est la première fois que je me suis éloigné de vous. Pendant que je vous voyais, j'étais surtout frappé de nos dissemblances, je ne songeais qu'aux moyens de repétrir votre nature au moule de la mienne, et cette tâche impossible me maintenait dans un état continuel de guerre. Aujourd'hui que je n'ai pas sans cesse sous les yeux *mon en-*

nemi, et que l'éloignement me laisse plus calme, je comprends ce que mes prétentions avaient d'insensé.

Attendez-vous donc, Louise, à me voir, au retour, tout autre que je ne suis parti. Vous pourrez me parler de bals, de promenades, de toilettes ; j'aurai appris votre langue. Vous ne verrez plus sur mon front ce pli qui vous empêchait de chanter; je serai gai, seulement vous m'aiderez un peu, car vous concevez qu'une pareille métamorphose ne se fait pas sans efforts.

Du reste, j'aime, par tempérament, la joie et les causeries, et peut-être ne me faut-il qu'un peu de sécurité, d'espace et de bien-être, pour retrouver mes allures naturelles. Je suis comme ces jeunes loups élevés en cage, toujours couchés, toujours grognans, toujours tristes, mais qui, une fois rendus à la forêt, reprennent leur souplesse et leur gaîté.

Combien nous allons être heureux à mon retour! En passant à Paris, j'ai pris quelques renseignemens; mon voyage peut devenir encore plus profitable que je ne l'avais supposé. Y pensez-vous? Louise, dans deux mois peut-être, dans deux mois je serai près de vous, j'aurai votre bras sur le mien, et nous parcourrons les faubourgs de notre bonne ville, cherchant l'écriteau d'une maisonnette à vendre! Nous propriétaires! Dites, Louise, cela ne vous fait-il pas ouvrir de grands yeux? Êtes-vous bien sûre que vous ne dormez pas? Propriétaires, nous, qui n'avions pas d'asile il y a quelques semaines! Oh! que la Providence de Dieu a de bontés imprévues!

Que de fois, après mes solitaires promenades, en passant devant ces pavillons blancs entourés de vignes et de roses du Bengale, en voyant la main d'une femme soulever le store vert et en entendant les rondes des enfans dans les charmilles, que de fois j'ai senti sourdre dans mon cœur une cuisante jalousie contre les heureux qui habitaient là ! Qui m'eût dit, mon Dieu ! que ce bonheur m'était si tôt réservé à moi-même ? O Louise, concevez-vous notre richesse? une maisonnette dans les faubourgs! Voyez-vous d'ici notre tonnelle de clématites, notre bosquet de seringat où sifflent les merles, le puits tapissé de lierre, l'escarpolette sous l'allée de tilleuls et les raquettes oubliées dans l'herbe; et puis les belles soirées sur le perron entre les chèvrefeuilles et les lilas, le premier rayon d'aurore sur nos rideaux blancs, les pinsons chantant au haut de nos cheminées, et les nids d'hirondelles au revers de notre toit ?

Je me sens près de pleurer à ces images ! Est-ce possible que tout cela me soit réservé ! Tous mes rêves réalisés en un jour ! Ah ! par instans, je tremble de tant de bonheur. Pourvu que quelque grande affliction ne nous soit pas réservée !

II.

Depuis hier je suis arrivé ; je suis en Allemagne ! Je ne saurais vous dire, Louise, l'impatience avec laquelle j'attendais ce moment. Je ne suis plus en France ! J'éprouve une sorte d'étonnement et de joie d'enfant à me répéter ces mots. Je me trouve tout fier d'être ici, tout charmé de mon aventureuse audace, tout émerveillé de ne pas me montrer plus dépaysé. Quand j'aurais découvert un continent, je ne serais pas plus content de moi-même. Singulier effet des habitudes casanières et de la nouveauté des voyages !

Une seule chose me chagrine, c'est de trouver chaque chose autour de moi si peu différente de ce que j'avais vu en France. Est-il possible que ces bois, ces montagnes, ce ciel, ce paysan vêtu de vert qui passe, tout cela soit de l'Allemagne? Mais qui distingue donc l'Allemagne de la France? Est-ce le poteau blanc devant lequel j'ai passé en diligence?

Oh ! comme ceci est différent du pays que nous avaient peint les livres ! Vous souvenez-vous, Louise, quand je vous traduisais

Werther, le *comte d'Egmont*, les *Tableaux de familles*, quelle idée nous nous faisions de l'Allemagne ; comme nous aimions à nous la représenter avec ses grandes forêts, où les jeunes gardes-chasse faisaient retentir les sons mélancoliques de leurs cors, avec ses jeunes filles blondes qui cueillaient des myosotis dans les campagnes, ses étudians pâles d'amour, jouant de la flûte, le soir, à leurs fenêtres élevées, ses vieux professeurs vivant de science, et son peuple rêveur, toujours la tête penchée et l'ame dans les nuages ? Hélas ! enfant, cette Allemagne-là n'est point au delà du Rhin, elle est à Rennes, près de votre réséda, dans ce petit coin de votre chambre d'autrefois, où nous lisions avec tant de bonheur ces beaux mensonges des poètes, que nous avions la folie de prendre pour des leçons de géographie.

L'Allemagne que je vois ici n'a rien des traits que nous lui avons rêvés; c'est la France avec des pipes plus longues, de la bière plus forte, la choucroûte de plus, et la politesse de moins.

Vous ne sauriez croire l'effet que produit sur moi le langage du peuple grossier qui m'entoure. Moi qui n'avais jamais étudié que l'allemand des livres, je comprends à peine ce que l'on dit à mes côtés. Habitué à n'entendre parler que les héros de Goëthe et de Schiller, et à ne point séparer la mélopée germanique de leurs sublimes discours, je ne reconnais plus la langue que j'ai apprise. O mon noble allemand à l'air antique, à la tête voilée, à l'accent sauvagement harmonieux, où es-tu? Ce n'est pas toi que j'entends ici, ce n'est qu'une moquerie de toi-même, une profanation de tes savans mystères. O mon allemand profond et triste, saint langage que je n'avais entendu que dans la bouche des demi-dieux, comment ces hommes osent-ils réciter tes sons, parodier tes allures et souiller tes religieuses beautés ?

J'ai déjà vu le banquier de Francfort, et commencé à parler d'affaires, mais je crains les retards. Ces Allemands sont prodigieux de lenteur, on dirait qu'ils craignent de trop avancer en un jour et de ne rien avoir à faire pour le lendemain ; ils se ménagent des occupations comme les Français se ménagent des loisirs : du reste, je les ai trouvés loyaux.

Que faites-vous maintenant? où êtes-vous? Je n'ose trop vous adresser cette question. Dans la conversation que nous avons eue, vous m'avez laissé entrevoir un projet dont vous aurez, j'espère, remis l'exécution à plus tard. Je ne vous dirai pas pourquoi ce serait entrer ici dans des explications inutiles si vous avez renoncé à vos intentions, plus inutiles encore si vous les aviez exécutées. Mais cela n'est pas, cela ne peut être. Au retour, je vous retrouverai où je vous ai laissée; vous m'aurez ménagé le bonheur de vous faire passer subitement de la contrainte et de l'abaissement à toutes les joies d'une indépendance aisée : j'y compte fermement.

III.

Je n'ai pas encore reçu de lettre de vous, cependant vous m'écrirez ; je ne vous ai pas demandé de me le promettre avant mon départ, à quoi bon ? Je ne vous ai pas dit non plus de m'aimer ni de vivre. Il y a des choses dont on a trop besoin pour songer à les demander.

Les jours sont longs dans une ville où vous venez pour affaire : une fois les bureaux fermés, la vie est comme suspendue pour vous ; je n'ai jamais fréquenté les lieux publics, où les oisifs vont parquer leur ennui ; j'ai de tout temps regardé ces cavernes des *tueurs de temps*, comme les coupe-gorges de l'intelligence ; ce sont des temples puans érigés aux plus brutales voluptés de la bête, et où l'on n'est bien qu'à condition de laisser son ame à la porte : aussi m'y suis-je toujours senti mal à l'aise. Au milieu de cette foule d'hommes grossiers, mon manque de grossièreté me fait honte : cependant, depuis que je suis ici, l'isolement et l'oisiveté m'ont poussé à entrer dans quelques cafés, mais j'en ai bientôt été chassé par l'odeur de bière et la fumée des pipes. Il faut avoir vu cela pour y croire. En France, fumer est une distraction courte et passagère ; mais ici c'est la vie. On fume comme on respire; les pipes sont rivées à demeure entre les dents des fumeurs, elles en font partie intégrante comme la trompe des éléphans. La tabagie française la plus infecte n'est rien près d'un café allemand. Un café allemand est une sorte d'usine où des cornues à forme humaine distillent de la fumée de tabac sans interruption et sans repos depuis le lever du soleil jusqu'au milieu de la nuit : on y vit dans une atmosphère qui n'a d'analogie avec aucune atmosphère connue, mais dans laquelle les émanations de bière forte, de tabac et de brandevin flottent confondues.

Je n'ai pu tenir à une pareille épreuve, et j'ai renoncé aux tavernes. Heureusement qu'il me reste la campagne éternellement belle, éternellement pure et éternellement ouverte aux pas de tous. Là je ne suis plus un étranger, je reconnais mon ciel, ma verdure, mes fleurs. Le foin coupé d'Allemagne a la même odeur que le foin coupé de France; l'églantine y fleurit aussi fraîche, le muguet des bois aussi parfumé. Je me suis donc réfugié dans la nature.

Chaque soir, je vais faire de longues promenades sur les bords du Mein. Je cueille des violettes, j'effeuille des branches de peuplier, je cause avec les oiseaux. Toutes les parties de la création sont devenues mes amies et me connaissent. Quelquefois je me plais à attacher une pensée à un nuage qui passe, à un papillon qui disparaît; je suis le vol d'une abeille atardée dans les prairies, jusqu'à ce que je l'aie vue se perdre dans l'enclos fleuri de quelque métairie. Puis, quand la nuit tombe, je reviens pensif vers l'hôtel, écoutant les grenouilles dans les joncs, et regardant au loin la ville que la lune baigne de clarté.

Arrivé à l'auberge, j'ouvre encore ma fenêtre pour regarder les étoiles. Les yeux plongés dans l'abime obscur qui s'ouvre devant moi du côté de la France, je me sens pris parfois d'une hallucination étrange; il me semble que l'espace disparaît et que les bruits de ma cité natale arrivent jusqu'à moi. Je crois entendre au loin des cris, apercevoir les vagues formes de nos rues, distinguer les deux grandes tours carrées de notre cathédrale. Alors, emporté par un irrésistible ravissement, je me penche en avant, je prête l'oreille, je regarde si je n'apercevrais pas une lampe isolée devers le vieux faubourg d'Antrin; j'écoute si je n'entendrais pas le bruit du rouet de ma mère ou votre voix murmurant un chant. Folie! la grosse horloge de

Francfort, en retentissant près de moi, me réveille, ce timbre m'entre jusqu'à l'ame; hélas! ce n'est pas la voix des cloches de mon pays.

Voilà mes occupations, Louise, voilà comme je vis; car je n'appelle point la vie des heures perdues avec les hommes de loi, les banquiers et les marchands. C'est ainsi que passent mes soirées et mes nuits à aimer Dieu dans la création et à vous y chercher.

IV.

Vous ne m'écrivez pas, vous ne m'écrivez pas, Louise! Pourquoi cela? d'où vient ce silence?

Je reçois des lettres de tout le monde, excepté de vous et de ma mère. Je désire les lettres de ma mère, parce qu'elles me parleraient de vous : n'y eût-il qu'une ligne, je saurais du moins que vous vivez; je saurais où vous êtes, ce que vous faites en m'attendant. Mais rien! Des indifférens m'écrivent pour affaire ou par fantaisie, et pour adresser une lettre en Allemagne. Je sais ce qui se passe à Rennes, qui y meurt, qui s'y marie; de vous seule, pas un mot qui me rassure!

Avec quelle palpitation je cours, chaque matin, réclamer mes lettres! Comme je tremble en les recevant! Mais toujours, toujours rien de vous! Se peut-il qu'on laisse ainsi sans nouvelle quelqu'un qui vous aime! qu'on le livre aux plus mortelles inquiétudes, lorsqu'il suffit de tracer trois lignes sur un papier pour le rendre heureux! Ah! la négligence, à certaines heures, est de l'insensibilité; les paresses de cœur sont des oublis.

Louise, vous êtes ingrate envers Dieu, vous ne méritiez pas de savoir écrire.

V.

Enfin j'ai une lettre de vous! bien courte, bien froide, mais c'est une lettre de vous! En reconnaissant votre écriture j'ai crié de bonheur, j'ai couru vers l'auberge pour être seul et pouvoir baiser ces caractères que vous aviez tracés : hélas! une fois la lettre ouverte, toute ma joie s'est évanouie.

Il est donc vrai, vous avez rompu avec ma mère, vous l'avez quittée !

Je devine, grâce à quels secours vous avez pu vous *mettre à votre ménage*, comme vous le dites. Mes avertissemens ont été dédaignés; vous avez mieux aimé vous livrer à la merci d'étrangers que de m'attendre encore quelques jours avec patience : ô Louise ! vous avez eu bien peu de sagesse et de courage.

Ne croyez pas que je m'y trompe, en quittant ma mère, ce n'est pas d'elle seulement que vous vous êtes éloignée, mais de moi. Si vous m'aviez plus aimé, vous n'auriez pas abandonné cette maison où je vous avais laissée ; vous auriez pensé que j'y étais né, que j'avais souffert et rêvé de vous. Ces mille objets qui m'y rappelaient vous eussent été chers ; mes livres encore épars sur la table de l'arrière-boutique, mes fleurets poudreux suspendus à la vieille cheminée, mon violon sans cordes, accroché derrière la grande armoire; tout vous eût été nécessaire, tout vous eût été doux à regarder. Ne sais-je pas cela, moi, qui, lorsque je ne vous trouvais pas chez votre marraine, restais tout rêveur devant votre corbeille à ouvrage, touchant vos ciseaux, regardant vos broderies, jouant avec votre poinçon d'ivoire, attendri et heureux de penser que tout cela était à vous?

Vous n'étiez pas chez ma mère pour ma mère, Louise, mais pour moi, vous m'y attendiez. C'était un lieu convenu pour le rendez-vous, et vous l'avez quitté avant que je fusse venu! Vous allez chercher ailleurs un abri, renonçant à celui que je vous avais trouvé. Ainsi, vous avez séparé votre destinée de la mienne; ainsi, à votre insu, sans doute, vous avez dénoué un de ces liens invisibles qui unissent les existences l'une à l'autre.

Je ne me fais pas illusion ; ceci est un premier avertissement pour moi. Vous venez de me déclarer, par l'action, que vous haïssez plus ma mère que vous ne m'aimez moi-même. Hélas ! je l'avais craint quelquefois, mais j'évitais de m'en convaincre ; il y a des croyances dont on a trop besoin pour les exposer aux chances d'un examen.

Comme votre lettre révèle bien la situation de votre ame ! Comme elle est brève, logique, positive ! Vos phrases d'affection même ont quelque chose de dur. Cette lettre, j'ai beau la relire, la tourner en tout sens, rien n'en sort ; je ne vois pas un seul mot s'illuminer d'amour, me regarder, me sourire ; cette lettre est morte, Louise, c'est une plume seulement qui l'a tracée, le cœur n'en a rien su.

Oh! je suis triste, profondément triste et découragé; l'affliction que je craignais est venue; j'avais raison de dire que quelque malheur me menaçait.

Et avez-vous réfléchi à la manière dont le monde jugerait la résolution que vous venez de prendre? Comment expliquera-t-on votre rupture avec ma mère, votre désir de vivre à votre guise et sans protectrice? Ne craignez-vous pas que cet isolement d'une jeune fille ne semble suspect au plus grand nombre?

Vous me demanderez peut-être d'où me vient aujourd'hui ce souci du jugement du monde ; il me vient de mon amour. Ne m'étant pas toujours plié pour mon compte aux habitudes reçues, je sais mieux qu'un autre ce que coûtent ces hardiesses, et je m'en effraie pour vous. Prenez garde de n'avoir fui des tracasseries que pour vous exposer aux persécutions bien plus cruelles de la foule. Les préjugés sont des barrières qu'il ne faut généralement franchir que dans l'intérêt du devoir, non dans celui des passions.

Je crains que vous n'appreniez, à vos dépens, que la plus hargneuse, la plus tyrannique et la plus injuste de toutes les vieilles femmes est l'opinion publique.

VI.

Que de fois j'ai relu votre lettre ! J'y cherche des preuves contre mes craintes, je l'épelle pour y découvrir un nouveau sens, je réussis presque à y trouver de la tendresse à force de le désirer.

Je ne sais comment cela se fait, mais, dans

toutes mes querelles avec vous, j'en viens toujours, après le premier emportement, à douter que ma colère soit juste; je finis par trouver que j'ai tort, sans doute parce que j'aime mieux m'accuser que vous accuser vous-même.

Maintenant, j'ai regret à la lettre que je vous ai écrite ; je voudrais la reprendre et vous parler plus tranquillement de ce que vous avez fait. Ne croyez pas cependant que je me vante à vous de cette indulgence ; je ne suis si miséricordieux, je le sais, que parce que je manque de courage, pour supporter les chagrins d'une brouillerie, et, si je finis par me trouver tort, c'est qu'il m'est trop douloureux d'avoir raison. Il vaudrait mieux, pour vous et pour moi, que je fusse moins disposé à sacrifier la vérité à ma faiblesse; la fermeté de mes mécontentemens finirait peut-être par vous éclairer, tandis que, maintenant, mes irritations, à l'instant rétractées, ont l'air d'un caprice fougueux plutôt que d'une juste indignation.

Mais qu'y faire? je ne me sens pas la force d'agir autrement. Si vous me frappiez au visage en pleurant, je me mettrais à genoux pour vous prier d'essuyer vos larmes. Les autres peuvent mépriser cette lâcheté; mais vous, Louise, vous devez en avoir compassion et n'en point abuser.

VII.

Merci de votre lettre, Louise, celle-ci du moins était aimable et bonne; j'aime la joie qui y respire. Vous êtes heureuse dans votre nouvelle situation : ce mot-là me console de bien des choses. Autrefois peut-être, j'aurais désiré vous savoir tourmenté de mon absence, mais l'exercice de la vie m'a fait mieux comprendre le devoir, et maintenant je préfère votre bonheur même à votre amour.

Je sais que votre affection pour moi est plus tranquille que ne l'est d'ordinaire l'affection d'une jeune fille pour son fiancé; vous semblez m'en avertir, en vous plaisant dans votre lettre à vous dire ma sœur. Eh bien! soit, j'accepte cette amitié sans variations et sans fièvre : soyez ma sœur, Louise, ne voyez en moi qu'un défenseur et un conseiller; ne prenez ma main étendue que pour vous y appuyer, ne voyez dans mes bras ouverts qu'un abri, ne cherchez ma poitrine que comme un oreiller plus sûr pour votre front; je trouverai encore mon rôle assez doux.

Non pas que je n'aie rêvé aussi des amours plus chaudes et plus complètes; qui n'a pas été ivre de sa jeunesse, au moins une fois ? mais l'expérience m'a rendu de bonne composition avec la vie; les rides de l'ame me sont venues avant celles du visage et m'ont fait sage de bonne heure. Long-temps sevré de toutes les joies, les moindres me sont précieuses, et avoir une sœur qui m'aime est beaucoup pour moi, que personne n'a jamais aimé.

Et puis, qui peut sonder les mystères de l'amour ? Qui sait si, dans une intimité plus profonde, nos ames ne se comprendront pas mieux, et si vous ne finirez pas par m'aimer, comme les enfans leurs mères, par imitation ? En attendant, croyez en moi et soyez heureuse. Je crains que mon séjour ici ne se prolonge indéfiniment. Je vois la possibilité de tirer du domaine de M. Paulin beaucoup plus que nous ne l'espérions, en abattant une partie des forêts qui le couvrent et en le divisant ; mais cette nouvelle combinaison retarderait indéfiniment mon retour.

Cette considération me porte par momens à y renoncer, puis des scrupules me viennent ; je songe aux engagemens que j'ai pris à Rennes, aux avantages personnels que je sacrifierais ; je me dis qu'en reculant de quelques mois mon départ je pourrai retourner vers vous plus riche et plus sûr de vous faire heureuse. D'ailleurs, maintenant que je vous sais à l'abri de toutes tracasseries, j'aspire moins vivement à un prompt retour.

Et cependant je balance toujours, je regarde mon isolement, je songe à vous, je vois Rennes dans mes songes, je me promène sur le mail, votre bras passé au mien, et alors je suis prêt à renoncer à tout et à partir. Aurai-je encore bien long-temps le courage d'attendre ? Serai-je assez fort pour rester seul et loin de vous ?

XI.

Tandis qu'Antoine était retenu en Allemagne par les affaires de M. Paulin et par l'espoir de revenir plus riche vers Louise, celle-ci continuait de se livrer de plus en plus à sa fatale passion.

Boissard, qui avait d'abord conçu la pensée

de fuir, comme nous l'avons dit, avait bientôt eu honte de ses scrupules. N'ayant dû jusqu'alors qu'au libertinage ou à l'avarice les faveurs qu'il avait obtenues de quelques femmes, il ne put résister aux attiremens de cet amour naïf qui lui promettait des plaisirs inconnus; fier, d'ailleurs, d'être pour la première fois véritablement aimé, il sentit s'éveiller dans son cœur le peu d'exaltation romanesque et jeune que la société y avait laissé : oubliant donc, pour un instant, préjugés, principes et habitudes, il s'associa à toutes les chimères de la jeune fille, partagea ses folles ivresses et se persuada qu'il pourrait vivre avec elle loin de tout, en prenant ses bras caressans pour limites de l'univers.

Sans doute qu'au milieu de cette orgie de cœur la raison mal endormie fit entendre plus d'une fois ses cris; mais avec la mauvaise foi de toutes les passions décidées à se satisfaire, sa passion feignit de ne pas l'entendre; il s'interdit prudemment la réflexion et plaça son coupable amour sous la sauvegarde de l'imprévoyance.

Deux mois s'écoulèrent dans ces enchantemens, et l'orgueil semblait aider à la volupté pour enchaîner Boissard. Comme la Claire du comte d'Egmont, Louise étaitsans cesse en adoration devant son amant : c'était son prince, son roi, le neveu des fées. Elle s'agenouillait à ses pieds, et, appuyée sur lui, elle le contemplait avec l'amour émerveillé d'une enfant. Elle l'appelait, elle lui répétait qu'il était beau, elle baisait ses mains, elle cachait sa tête sur sa poitrine en le serrant convulsivement dans ses bras et lui criant mille fois qu'elle l'aimait. Comment résister à un culte si passionné? Arthur se laissa aller aux jouissances vaniteuses de cette divinisation avec une sorte de transport.

Mais, si l'adoration est le plus sublime de tous les élans de l'ame, c'est aussi le plus difficile à varier. Le rôle d'idole ne peut plaire que pour un temps, et la monotonie forcée des hommages lasse bientôt.

Une fois la nouveauté de cette sensation épuisée, Arthur commença bientôt à se fatiguer du culte dont il était l'objet. Trop long-temps livrée à un enthousiasme inaccoutumé, son ame se détendait peu à peu et redescendait à ses goûts d'autrefois. Il se mit à regretter l'ancienne gaîté de Louise, ses frais sourires, ses lutineries joueuses; il se demanda pourquoi il ne retrouvait plus en elle ces charmes qui l'avaient séduit; il lui en voulut de les avoir perdus, et le lui reprocha.

Hélas! il n'était plus au pouvoir de la jeune fille de faire renaître ces fleurs des jeunes années! Elle aussi, elle avait goûté à l'arbre de la vie; le paradis terrestre de son enfance s'était formé derrière ses pas, et elle était devenue sérieuse et triste à jamais.

Malheureusement, la position qu'elle avait prise vis à vis d'Arthur était la plus dangereuse qu'elle pût choisir. En lui élevant un autel et se prosternant devant lui, elle l'avait accepté pour maître, et reconnaître la supériorité d'un égal, c'est presque toujours s'assurer son dédain. Les êtres les plus nobles échappent seuls à cette funeste tentation de marcher sur la tête qui se courbe et de s'en faire un piédestal. Le culte de Louise eut donc pour résultat d'exalter l'orgueil de Boissard : il prit au mot l'humble adoration de la jeune fille, l'accepta comme l'aveu d'une infériorité et la regarda avec quelque fierté du haut de ce trône qu'elle-même lui avait élevé.

Tout d'ailleurs entretenait chez lui ce sentiment superbe. Qu'était, en effet, cette enfant qu'il avait bien voulu aimer? Ne l'avait-il pas prise pauvre, abandonnée, baignée de larmes, lorsque lui, il était riche, beau et recherché? Ne lui devait-elle pas tout ce qu'elle avait goûté de bonheur? N'avait-il pas toujours été bon et généreux avec elle? Pourquoi s'étonner, après cela, qu'elle se montrât reconnaissante et qu'elle l'aimât avéc respect, comme Dieu, puisqu'il avait remplacé pour elle la Providence?

Il n'ajoutait pas, à la vérité, que tous ses bienfaits il ne les avait peut-être prodigués à la jeune fille que sous l'inspiration d'un honteux espoir ; il n'ajoutait pas qu'il n'avait rien sacrifié pour la rendre heureuse, et qu'elle, misérable enfant, elle lui avait donné tout ce qu'elle avait au monde. Il ne se demandait pas enfin si le bien qu'il lui avait fait pourrait compenser une seule des larmes de sang qu'il lui coûterait un jour.

Déjà même ces larmes commençaient à couler, car le bonheur de Louise n'était plus le même. Deux mois avaient suffi pour épuiser les transports d'Arthur. Revenu à plus de calme, il rentra dans sa vie accoutumée. Le monde qu'il avait quelque temps abandonné le rappelait; il y reprit ses habitudes, ses plaisirs et ses succès.

La jeune fille, à laquelle il avait consacré

jusqu'alors ses journées presque entières, n'eut plus d'abord que quelques heures; puis ses visites devinrent chaque jour plus courtes et plus rares. Louise voulut faire quelques reproches, mais Boissard se rejeta sur les exigences de sa position et sur les devoirs que le monde lui imposait.

Nous pouvons dire que son abandon n'avait, en effet, rien de prémédité; sa passion s'était refroidie comme elle s'était formée et accrue, sans qu'il y regardât et pour ainsi dire d'elle-même.

Dans l'une et dans l'autre circonstance, il avait cédé à son inclination, sans en discuter la cause et avec cette nonchalance des gens riches, accoutumés à se laisser aller à l'existence et à ne point contrarier leurs entrainemens.

Comme nous l'avons déjà dit bien des fois, le caractère d'Arthur n'avait rien de méchant ni de bas; ce qu'on y trouvait de plus marqué était une sorte de vulgarité élégante et de facilité polie, que l'on pouvait prendre également pour un défaut, ou pour une qualité, selon l'idée que l'on se faisait des devoirs de la vie. Content de la place que le hasard lui avait donnée dans la société, Arthur avait dû nécessairement regarder celle-ci avec complaisance et trouver ses usages bons à accepter. La naissance et l'éducation s'étaient donc réunies pour lui créer une de ces natures aimables qui plaisent généralement parcequ'elles ne heurtent personne, mais qui portent dans la pratique des devoirs la même mollesse pliante que dans tout le reste. L'indulgence pour lui-même et pour les autres faisait le fonds de ce caractère heureux pour le cours ordinaire des choses, mais dont la tolérance générale pouvait devenir singulièrement dangereuse à l'occasion. De même donc qu'il ne s'était point tourmenté des suites que pourrait avoir sa liaison avec Louise, il ne se tourmenta point de celles que pourrait avoir sa rupture. Il ne songea même point à cette rupture, bien qu'elle devînt plus imminente chaque jour. Il usa insoucieusement ce qui lui restait d'amour, accordant de temps en temps à la jeune fille quelques heures, en attendant qu'elle lui fût devenue assez indifférente pour qu'il pût l'abandonner.

Du reste, disons-le pour sa justification, son affection n'avait jamais eu le cachet des sentimens durables. Il avait accepté l'amour de Louise plus qu'il ne l'avait cherché, et c'était contre son gré qu'une inclination, à laquelle il n'eût voulu donner qu'une importance passagère, avait grandi jusqu'à la passion. Pris comme au piége dans un attachement sérieux, il avait d'abord cédé à l'entraînement, puis une sorte d'attendrissement involontaire l'avait pris en présence de tant d'amour, et il y avait répondu; mais, en définitive, cette liaison avait été pour lui une surprise plutôt qu'un choix.

Aussi, sorti de sa première extase, vit-il les nœuds qui le retenaient captif se défaire d'eux-mêmes. D'un autre côté, son orgueil ne pouvait trouver un grand prix à sa victoire, car conquérir le cœur d'une grisette n'était point une gloire bien haute, et Louise n'avait pas même l'avantage de pouvoir rendre son amant fier de l'avoir déshonorée.

Sans doute, il en eût été autrement si la distance sociale qui séparait Boissard de la jeune fille avait été franchie par lui au lieu de l'être par elle. En élevant sa maîtresse jusqu'à lui-même, Arthur eût aimé cette élévation comme son ouvrage, et sa vanité eût trouvé son compte à cet acte de puissance; mais, au lieu de cela, il était pour ainsi dire descendu à l'amour de Louise : rien de solide ne le retenait donc dans cette passion de hasard qui l'avait séduit un instant.

D'ailleurs, à de très rares exceptions près, les alliances coupables et furtives ont peu de durée. L'homme est mobile de sa nature, et ses sentimens comme ses pensées ont besoin d'un joug pour s'arrêter. La fixité solennelle du mariage est peut-être la plus forte garantie de l'affection, parce qu'elle assujettit les désirs vagabonds et fait une obligation de la constance. Sans la règle morale qui lui rappelle ce qu'il doit faire, l'homme est trop faible contre ses tentations, et la coupable subtilité des passions avait trouvé, bien avant les légistes, ce dangereux axiome : *Tout ce que la loi ne défend pas est permis.* D'un autre côté, dans l'union légitime, mille liens se forment qui peuvent remplacer ceux que le temps détruit; les souvenirs, l'habitude, la paternité, la communauté des misères et des prospérités, enfin, et par dessus tout peut-être, l'espèce d'assiette définitive donnée à la vie, la puissance de ce *qui est.* Au contraire, dans les passagères unions que nouent la passion ou le caprice, que reste-t-il après les difficultés brisées, la résistance vaincue et le désir satisfait? le plus souvent, l'embarras de relations dont on ne sait que faire et des souvenirs que l'on voudrait anéantir!

Arthur commençait à reconnaître toutes

ces vérités, et il eût voulu, pour beaucoup, échapper à sa liaison avec Louise; mais son refroidissement, loin d'arrêter la tendresse de la jeune fille, sembla l'accroître, comme si celle-ci eût espéré, à force de caresses, réchauffer ce cœur qui se glaçait sur le sien. C'était là, malheureusement, une tâche impossible; au lieu de ramener à elle son amant, ses témoignages d'amour l'éloignèrent davantage.

Alors elle devint triste et commença à pleurer en silence. Arthur, qui ne la visitait guère que par habitude et par pitié, s'impatienta de voir sans cesse ses yeux rouges et son front pâle. Cette douleur résignée l'irritait comme une accusation muette. Il le reprocha à la jeune fille, et, pour échapper à cet insupportable spectacle qui réveillait en lui des remords, il vint encore plus rarement.

Cependant Louise fut long-temps avant de croire à un malheur irrévocable : elle avait espéré d'abord dans ses doux reproches, puis dans le redoublement de sa tendresse, puis dans ses larmes ; mais, quand elle vit que tout avait été inutile, le désespoir s'empara enfin de ce cœur souffrant outre mesure. La passion, qui avait été si long-temps patiente, se redressa furieuse ; une de ces crises de colère qui enfièvrent les ames les plus douces s'empara d'elle, et elle éclata en plaintes et en menaces.

Arthur, étourdi un instant, recouvra bientôt son sang-froid ; il n'aimait plus assez Louise pour être juste ; il ne voulut donc voir dans son emportement que la fureur capricieuse d'une femme de mauvais caractère ; et, heureux de trouver l'apparence d'une insulte pour justifier son inconstance, il répondit froidement en lui proposant une rupture. Il avait compté sur la colère de la jeune fille pour le succès d'une pareille proposition; mais il fut trompé.

L'amour de Louise était plus grand que tout le reste. Au mot de rupture, son irritation tomba comme par enchantement; elle s'élança vers le jeune homme en poussant des sanglots; elle se jeta à ses pieds, embrassa ses genoux, et, couverte de larmes, les mains tremblantes, elle le conjura de lui pardonner, d'avoir pitié d'elle et de l'aimer toujours.

Ainsi désappointé, attendri même malgré lui, Boissard fut forcé de dire qu'il oubliait tout et d'en revenir à ses anciens sermens.

Cependant cette scène lui donna une sorte

d'autorité; en consentant à pardonner, il eut l'adresse de se conserver l'attitude d'un offensé qui s'était montré clément, et de maintenir Louise dans la situation craintive et honteuse d'une graciée. Elle n'osa donc plus renouveler ses plaintes. Arthur profita de son silence forcé pour conquérir plus de liberté, et il en résulta, au bout de quelque temps, un abandon presque complet.

Cependant la résignation de la jeune fille n'était qu'extérieure, et si la querelle survenue entre elle et Boissard l'avait rendue plus timide à exprimer sa douleur, elle avait en même temps ouvert son cœur à toutes les tempêtes.

Jusque-là ses sentimens avaient été retenus dans de certaines bornes; mais, une fois les barrières de la modération renversées, son ame sembla se précipiter en aveugle dans tous les délires. Elle chercha la cause du changement d'Arthur, et ne put la trouver que dans un nouvel amour. Alors la jalousie s'empara de tout son être et elle n'eut plus qu'un désir, qu'une pensée, qu'un projet : découvrir la nouvelle maîtresse de Boissard.

Malheureusement, l'isolement absolu dans lequel elle avait vécu lui rendait plus difficiles qu'à une autre les recherches qui auraient pu l'éclairer ; mais la passion la fit hardie et ingénieuse. Elle sortit davantage, elle interrogea, elle épia elle-même les démarches d'Arthur; elle s'astreignit à lui paraître gaie lorsqu'il venait la voir, et lui fit des questions sur ses plaisirs, sur les lieux qu'il fréquentait, sur l'emploi de ses journées.

Hélas ! qu'il y avait loin de cette Louise si tourmentée d'une idée à la Louise riante et futile d'autrefois ! Comment ce changement s'était-il fait ? D'où étaient venus subitement à cette enfant tant de volonté pour souffrir, tant de fougue et de sérieux ? Qui peut le dire ? De pareilles transformations sont du nombre de ces mystères qui ne nous étonnent plus parce que nous en sommes trop fréquemment témoins, mais qui nous confondent lorsque nous cherchons à les sonder.

Du reste, on se tromperait en croyant que les caractères comme celui de Louise sont moins propres à recevoir les impressions turbulentes. La vie réelle a, au contraire, plus de prise sur ces esprits un peu vulgaires, et les passions communes les troublent plus facilement. Dans les hautes régions qu'elles fréquentent, les ames élevées échappent à mille agitations qui remuent le monde inférieur; elles souffrent des peines plus vives, sans doute, mais des peines différentes; leur douleur même a quelque chose de saint et de grand qui apporte avec soi je ne sais quelle jouissance poignante. Leurs émotions ne les tourmentent point en détail, elles ne tiraillent pas l'une après l'autre chacune de leurs fibres, elles les foudroient d'un coup : aussi leur désespoir fait-il peu de mouvement; il a un calme sublime. Il en est tout autrement chez les êtres qui ne dépassent point une certaine médiocrité morale. Leurs passions, plus attachées à la vie positive, s'y mêlent davantage; elles s'expriment par l'action, elles sont plus bruyantes, plus visibles, plus intrigantes; elles luttent avec les faits, elles s'exaltent à propos des circonstances journalières, elles peuvent même s'emporter aux actes extrêmes du suicide ou de l'assassinat, parce que la brutalité maternelle leur va bien, mais il leur manque toujours une certaine grandeur que l'on trouve aux passions des ames plus élevées. L'homme vulgaire et l'homme supérieur pourront tous deux se tuer de jalousie ou de désespoir; seulement l'un mourra en silence et en secret, l'autre se brûlera la cervelle en plein jour, après avoir fait son testament et écrit une lettre de reproche à sa maîtresse.

L'amour de Louise pour Arthur, quelque vulgaires qu'en eussent été les causes, était violent et sincère. Les avantages d'élégance et de fortune qui avaient séduit la jeune fille étaient futiles sans doute, mais c'étaient les plus appréciés par elle, ceux pour lesquels elle avait toujours éprouvé le plus de sympathie : la fragilité des bases sur lesquelles s'était élevé cet attachement ne l'avait donc pas empêché de grandir; car ce que Louise adorait dans son amant était ce qu'elle comprenait le mieux, ce à quoi aspiraient ses désirs.

Aussi sa douleur et sa jalousie ne furent-elles ni moins profondes ni moins délirantes qu'elles ne l'auraient été dans le cœur le plus poétique.

Dominée par son unique pensée, la malheureuse jeune fille arriva bientôt à une sorte de monomanie fatale qui la poussa en dehors de toutes les habitudes sensées. Le soir, elle sortait seule pour parcourir les rues où devait passer Arthur; elle attendait près de son hôtel l'heure de son départ, et, quand il paraissait en toilette de bal, elle se pâmait d'ivresse à le regarder, ainsi beau, chantant et paré. Elle le suivait dans l'ombre, lui parlant dans son cœur et lui donnant mille noms de tendresse; elle arrivait avec lui jusqu'à la porte de l'hôtel où la fête l'attendait, et là, cachée dans un coin obscur, le cou tendu, les yeux fixés sur les fenêtres étincelantes de lumière, elle attendait des heures entières pour apercevoir, à travers le vitrage, une ombre qui ressemblât à la sienne.

Souvent, exaltée par ce long isolement et par la nuit, elle devenait le jouet d'une singulière hallucination. A force de regarder dans le bal par la pensée, le bal se déroulait réellement devant les yeux de son ame; elle y assistait, elle voyait tout, elle reconnaissait les visages et entendait murmurer les noms; elle apercevait de loin Arthur, dans la foule, arrête près d'une jeune femme à laquelle il semblait parler tout bas; elle le voyait se pencher vers elle avec mollesse, lui sourire de ce sourire enivré qu'elle lui avait vu autrefois; et la jeune femme, les yeux baissés et rougissante, écoutait en effeuillant son bouquet. Alors, oubliant que tout cela était un rêve, la malheureuse jeune fille poussait des sanglots étouffés, elle levait les bras avec désespoir vers le balcon lumineux, elle appelait Arthur, ou, accablée, s'asseyait sur quelque borne, la tête cachée dans ses mains, et versant un déluge de larmes.

Mais ses folles démarches ne s'arrêtèrent point là : bientôt sa passion devenant plus inquiète et plus hardie, elle ne se borna plus à suivre Boissard la nuit; elle l'épia pendant le jour, fréquenta les promenades où il avait coutume d'aller, et l'accompagna partout comme son génie, mais toujours de loin et cachée.

Sa douleur trouva même une sorte de charme à cette surveillance invisible et s'en fit une occupation. Il y avait en effet, dans cette poursuite étrange, quelque chose qui s'accordait bien avec les dispositions romanesques qui ne manquent jamais de se développer dans les cœurs malheureux.

Les choses en étaient là, lorsqu'une circonstance imprévue vint hâter la crise depuis long-temps préparée entre Louise et Arthur.

XII.

Il est peu de cités qui possèdent autant de promenades charmantes que l'ancienne capitale de la Bretagne. De quelque côté que vous tourniez vos pas, vous êtes sûr d'y rencontrer des allées verdoyantes ou des jardins fleuris, ouvrant devant vous leurs oasis embaumées. On conçoit, rien qu'en parcourant ses parcs publics, que Rennes ait produit, dans ces dernières années, tant de jeunes poëtes intimes et mélancoliques (*). C'est, en effet, par excellence, la ville de l'élégie. Tout vous y pousse; on la sent dans l'air du Champ-de-Mars, on la respire sous les dômes gazouillans du *Thabor;* elle s'exhale aux bords du *Mail* avec les parfums du soir, alors que l'odeur du foin coupé vient des prairies, et que les chants des *filles repenties* s'élèvent des buttes éloignées de Saint-Cyr. A Rennes, la rêverie trouve partout des asiles muets, des retraites ombreuses où le vers peut germer et éclore. Rien ne manque à ses promenades, pas même la solitude, car à peine si vous y rencontrez, de loin en loin, quelque penseur solitaire, qui, la tête baissée, pousse

(*) MM. Boulay-Paty, Lucas, Turquety.

devant lui, avec distraction, les feuilles dont la terre est jonchée.

C'est seulement aux jours de fêtes que la population de Rennes, naturellement casanière, sort pour visiter ses promenades. Alors vous voyez celles-ci couvertes de jeunes hommes que l'étude a rendus chauves avant le temps, et de femmes à la ravissante langueur, tenant par la main des enfans beaux et frêles. Au milieu de cette foule pensive et pâle, s'agite la jeunesse des écoles, vive, bruyante, hardie; puis le peuple sérieux et fort; puis les jeunes ouvriers à la marche furtive, aux regards détournés, aux sourires retenus.

C'était un de ces jours de fête; les promeneurs parcouraient à flots pressés les longues allées du Mail. Un de ces soleils qui

semblent vous appeler et auxquels tout s'é-
panouit, un joyeux soleil d'hiver faisait étin-
celer le givre à la cime des tilleuls. La teinte
uniforme des campagnes blanchies n'était
variée que par l'ombre des nuages qui passaient au ciel. Saint-Cyr montrait à l'horizon
son vieux monastère à demi caché sous les
neiges, et, sur la rivière devenue solide, on
voyait glisser les patineurs et les traîneaux
chargés de femmes parées.

Attirée par ce dernier spectacle, la foule
s'était pressée sur les bords de la promenade et suivait des yeux, avec curiosité, tous
les détails de cette scène animée, distribuant
tour à tour aux acteurs, ou ses rires ironi-
ques ou ses applaudissemens. Mais, parmi
les patineurs, il en était un qui réunissait
tous les suffrages et excitait au plus haut
degré l'intérêt; c'était Arthur Boissard

Vêtu d'une élégante polonaise garnie de riches fourrures, il courait sur la glace en décrivant mille courbes gracieuses, mille voltes charmantes, et, par instans, sa taille souple se balançait si aérienne dans ces élans merveilleux, qu'il semblait prêt à prendre son vol.

Cependant, après avoir épuisé tous les caprices de son adresse, dans une de ses courses nonchalantes le long du rivage, le jeune homme aperçut un groupe de femmes qui venaient d'arriver et qui regardaient.

Il s'avança précipitamment vers elles en saluant :

— Vous faites merveille, M. Boissard, lui dit la plus vieille, qui paraissait être la mère des deux autres.

— La glace est magnifique, madame, et les plus maladroits sont habiles aujourd'hui; on se sent des ailes aux pieds.

— C'est donc un grand plaisir que de glisser ainsi? demanda une des jeunes filles.

— Un plaisir dont rien ne peut donner d'idée : on se sent aller sans faire de mouvement, comme si l'on était transporté sur un char de fées.

— Cela doit être étrange, je voudrais savoir patiner.

— Rien de plus facile; si madame votre mère veut permettre à mademoiselle votre sœur et à vous de descendre dans un traineau, je puis vous faire faire un voyage sur la glace.

— Oh! nous aurions trop peur, s'écrièrent à la fois les deux jeunes filles en regardant tour à tour la glace et leur mère.

— Il peut y avoir du danger, observa celle-ci.

— Aucun, Madame; cette glace porterait de l'artillerie; d'ailleurs, nous ne nous éloignerons pas de cet endroit. Permettez un essai, je vous en supplie.

Après quelques nouvelles objections de la vieille dame et quelques nouvelles expressions de frayeur de la part des jeunes filles, la première consentit enfin, et Arthur courut chercher un traineau.

Les deux sœurs s'y placèrent, et bientôt on

les vit glisser légèrement et fuir vers le bas de la rivière.

Arthur semblait diriger le traîneau avec une attention pleine de sollicitude et y employer toute son habileté; il lui fit décrire plusieurs cercles, ralentit sa course, puis la reprenant plus rapide, emporta, avec la promptitude de l'éclair, le char fragile qui ne s'arrêta qu'au rivage, devant le lieu même où la mère attendait.

Les deux jeunes filles descendirent à moitié riantes, et toutes rouges encore de plaisir et d'effroi. En sortant, la plus jeune chancela; Arthur étendit les mains pour la soutenir, et elle se trouva presque renversée dans ses bras. Leurs yeux se rencontrèrent dans ce moment; ils se lancèrent un regard plein d'amour.

— C'est un bien beau jour pour moi, dit Arthur tout bas, en reconduisant la jeune fille au rivage.

Celle-ci n'osa répondre, mais elle pressa légèrement la main qui tenait la sienne. Ils étaient arrivés près de la mère.

— Tu parais tout étourdie, Clara, dit celle-ci.

L'enfant rougit et quitta le bras d'Arthur. Les trois femmes causèrent encore un instant avec le jeune homme, puis elles s'éloignèrent.

Boissard resta assez long-temps immobile près du rivage, les suivant des yeux; mais, comme s'il fût sorti tout à coup de quelque rêverie, il s'élança de nouveau sur la glace et se mit à la parcourir avec plus de rapidité que jamais. Cependant il était facile de voir, à l'irrégularité de ses mouvemens, qu'une pensée étrangère l'occupait; il semblait se laisser conduire par ses patins et ne plus songer à ce qu'il faisait.

Dans ses évolutions distraites, il s'élança le long d'un des canaux qui longent le *mail*, et dont la glace, plus faible, n'avait point encore été tentée par les patineurs. A peine y eut-il fait quelques pas, qu'un léger craquement se fit entendre; la glace fléchit sous lui, et il enfonça.

Un cri, partit à quelques pas, et une femme se précipita vers le canal, les bras tendus; la glace, déjà brisée, céda sous ses pieds.

— Louise, Louise, n'avancez pas, cria Boissard.

Mais il n'était plus temps; la glace s'affaissa davantage, la jeune fille fit encore quelques pas et tomba dans les bras d'Arthur.

Par un mouvement naturel, celui-ci étendit la main pour se retenir à quelque chose et rencontra un tronc d'arbre qu'il saisit.

— Ne bougez pas, dit-il, ou nous sommes perdus.

On était accouru de tout côté, des secours arrivèrent; Louise et Arthur furent bientôt ramenés au rivage.

Mais Louise était folle de trouble, de frayeur et de joie. Les deux bras passés au tour du cou d'Arthur, elle ne voulait plus s'en détacher; elle l'appelait en pleurant, le couvrait de baisers, le serrait contre sa poitrine en répétant qu'il était sauvé : la foule écoutait, étonnée et attendrie.

Cependant Boissard, honteux d'être ainsi en spectacle, faisait tous ses efforts pour apaiser la jeune fille. Il réussit enfin à modérer ses transports, et il allait la faire sortir du cercle qui s'était formé autour d'eux, lorsque son nom, prononcé à ses côtés avec un accent de surprise, le fit se détourner; Clara était là avec sa sœur et sa mère, fixant sur lui des yeux béans et irrités.

Arthur rougit, puis devint pâle. Il laissa

tomber la main de Louise et baissa les yeux; quand il les releva, les trois femmes avaient disparu.

Le jeune homme fit un geste de désespoir, et, saisissant rudement le bras de sa maîtresse, il l'entraina loin de la foule.

XIII.

Deux jours après l'accident arrivé sur le canal du mail, Boissard se trouvait seul dans son cabinet, la tête appuyée sur sa main et plongé dans une sombre rêverie. Il était facile de voir, aux rides qui plissaient son front et à la fixité de ses regards, que quelque préoccupation douloureuse l'oppressait. Après être resté long-temps dans la pose tristement méditative qu'il avait prise, il poussa un soupir, laissa retomber ses mains sur son bureau, avec une sorte d'impatience découragée, comme si ses réflexions ne l'eussent mené à rien, et promena des yeux distraits sur les papiers et les livres qui l'entouraient.

Une lettre ouverte devant lui arrêta ses regards, il la prit avec le geste d'un avocat qui relirait une pièce convaincante à laquelle il ne saurait que répondre.

Voici cette lettre :

« Ma chère amie,

» Vous avez sans doute déjà entendu par-
» ler de l'inconcevable scène qui a eu lieu
» dimanche dernier sur le *mail*, et dont
» votre fils était l'acteur. Un malheureux

» hasard nous en ayant rendues spectatrices
» mes filles et moi, nous n'avons pas même
» la possibilité du doute.

» Vous comprendrez sans doute, ma
» chère, qu'après un tel scandale je doive
» être effrayée de l'avenir réservé à ma Clara,
» et que je regarde au moins comme suspen-
» due l'exécution du projet dont nous avions
» parlé. Le bonheur de ma fille m'est confié,
» et je serais trop coupable de la livrer im-
» prudemment aux chagrins d'une union
» exposée à des rivalités.

» Incertaine du résultat que devra amener
» la découverte pénible que je viens de faire, je
» crois aussi que la réputation de Clara pour-
» rait avoir à souffrir d'assiduités qui n'au-
» raient plus la même apparence de pureté.
» J'espère que M. Arthur le comprendra et
» qu'il ne voudra exposer ma fille à aucune

» remarque désagréable. Veuillez donc lui
» dire que nous le recevrons de nouveau avec
» plaisir lorsqu'il aura fait oublier le triste
» éclat de dimanche dernier, et lorsqu'il
» aura donné des gages de son retour à des
» mœurs plus dignes de lui et plus rassu-
» rantes pour une mère.

» Je n'ai pas besoin de vous dire, ma
» chère amie, combien tout ceci m'est péni-
» ble; j'espère que, quoi qu'il arrive, notre
» amitié n'aura point à souffrir de circons-
» tances qui n'ont point dépendu de nous.
» Ma lettre écrite à toute autre qu'à vous eût
» été une rupture définitive, mais les fautes
» du fils ne peuvent me faire oublier toute
» l'affection que j'ai pour la mère.

Votre amie dévouée,

Emilie Gerol

Cette lettre reçue le matin même par madame Boissard avait été communiquée aussitôt par elle à son fils, et il s'en était suivi une explication dans laquelle le jeune homme avait été obligé d'avouer sa liaison avec Louise. Madame Boissard, après quelques observations sévères, lui avait laissé la lettre en l'engageant à réfléchir sur ce qu'il avait à faire.

Or, c'était précisément là ce qui rendait Arthur si soucieux et ce qui l'occupait depuis le matin. Il cherchait vainement un moyen de sortir d'embarras; de tout côté les difficultés lui semblaient inextricables.

Sa position s'était, en effet, tellement compliquée depuis quelque temps, qu'une explication est indispensable pour la faire comprendre au lecteur.

Il y avait environ trois mois qu'en rentrant chez lui Arthur avait trouvé, dans le salon de sa mère, madame Gerol et ses deux filles qu'il n'avait jamais vues, et que l'on venait de retirer d'un pensionnat de Paris. Madame Gerol était une ancienne amie de la maison, et les rapports suivis qu'établit entre ses filles et Boissard la communauté des goûts et des plaisirs resserrèrent cette liaison à laquelle la mère n'apporta, de son côté, aucun obstacle. Bientôt l'on ne put voir les demoiselles Gerol dans un bal ou dans un concert sans leur compagnon inévitable, Arthur Boissard.

On conclut de ces assiduités que le mariage de ce dernier avec l'une des jeunes filles était arrêté. Les complimens qu'on lui adressa à cette occasion le surprirent d'abord, puis le flattèrent, puis finirent par le faire réfléchir.

Il se trouvait précisément dans la période décroissante de son amour pour Louise. L'idée d'un mariage qui le forcerait à rompre avec elle lui sourit donc plutôt qu'elle ne l'effraya. Il revenait d'ailleurs à des opinions plus régulières et plus acceptées. L'essai qu'il avait fait d'une passion commençait à lui faire croire qu'en définitive rien ne valait le calme d'un mariage fondé sur une affection commode que l'on pouvait trouver à son heure et qui ne vous imposait aucune chaîne. En outre, son alliance avec la famille Gerol réunissait tous les avantages que l'on recherche dans le monde, et, de riche qu'il était, elle pouvait le faire presque millionnaire.

Toutes ces considérations, quoique confusément entrevues, le portèrent à multiplier ses visites chez madame veuve Gerol. Des deux filles de cette dame, Clara était celle qu'il préférait à cause de sa gaîté spirituelle; ce fut donc à elle que s'adressèrent plus positivement ses attentions. La jeune fille n'y fut point insensible, elle répondit à ses avances par des avances, des politesses reçues sérieusement se changèrent ainsi en déclarations, et il arriva qu'après avoir fait quelques pas chacun de leur côté, les deux jeunes gens se trouvèrent un beau jour les mains unies et officiellement amoureux. Les mères qui avaient leur projet s'étaient tues jusqu'alors; mais, quand les choses furent arrivées à ce point décisif, madame Boissard parla à son fils; elle lui déclara qu'elle avait découvert son inclination, qu'elle l'approuvait, et qu'elle était d'avis de réaliser au plus tôt une liaison si bien assortie.

Arthur n'avait aucune objection à faire, il consentit à tout, et le mariage fut convenu, sans que toutefois l'époque en fût définitivement fixée.

On en était là depuis environ quinze jours lorsque la rencontre du mail avait eu lieu.

Arthur n'avait que trop prévu quelles seraient les suites de cette rencontre. Aussi, après avoir fait d'assez durs reproches à Louise sur son scandaleux éclat, l'avait-il quittée et n'était-il point retourné la voir depuis.

Livrée ainsi à ses réflexions, la jeune fille s'exalta. La course en traineau qu'elle avait vue avait suffi pour lui faire connaître qu'une autre lui était préférée, et sa jalousie, ainsi justifiée, s'accrut jusqu'au délire. Il ne lui fut plus possible de demeurer calme ni d'attendre. Son cœur, gonflé de douleur, d'impatience et de colère, s'enfiévra d'heure en heure; sa tête, fatiguée d'une pensée unique, se perdit. Une lettre écrite à Arthur était restée sans réponse; elle se persuada aussitôt qu'il était malade et que son accident avait eu des suites.

Dans les momens de passion, l'invraisemblance d'une supposition devient un motif de plus pour y ajouter foi. Le soupçon de Louise, à peine formé, se transforma donc pour elle en certitude. La pensée que Boissard pourrait souffrir, être en danger, mourir sans qu'elle, qui ne vivait que pour lui, en fût même avertie, la rendit folle. En tout cas, malade ou ingrat, il fallait qu'elle le vît, car elle ne pouvait supporter plus longtemps ces incertitudes.

L'espèce de publicité que le hasard avait donnée à ses rapports avec Boissard avait, d'ailleurs, brisé les derniers liens de retenue qui auraient pu l'arrêter. Elle avait laissé voir son cœur au monde, à quoi lui servirait désormais de le cacher? Pareille à ces filles-mères qui, une fois leur enfant avoué, le gardent dans leurs bras aux yeux de tous et semblent s'en parer, elle résolut de ne plus voiler son amour, et d'en avoir la hardiesse et les priviléges, puisqu'elle en avait la douleur. Arthur ne venait pas, Arthur l'oubliait ou avait besoin de ses soins! Elle ne balança plus, et, quoi qu'il pût arriver, elle résolut de le voir.

Or, c'était au moment même où la jeune fille prenait cette décision que Boissard, la lettre de madame Gerol à la main, méditait sur les moyens de sortir de sa difficile position. Depuis qu'il se voyait menacé d'une rupture, il tenait plus vivement que jamais à l'union projetée, et mille avantages, auxquels il n'avait songé que vaguement, se dessinaient plus clairement à ses yeux. Il éprouvait d'ailleurs, pour Clara, une de ces passions mixtes que ne manque jamais d'inspirer une fiancée riche et jolie, espèce d'amour bourgeois, né des sens, de l'orgueil et de l'arithmétique, et tel précisément qu'il le faut pour constituer ce que l'on appelle dans le monde un mariage d'inclination.

La crainte de voir échapper un bonheur *aussi avantageux* causait donc à Boissard un véritable chagrin. Dans son désespoir, il se blâmait de son imprudence, il se plaignait de la fatalité des circonstances; mais il accusait surtout Louise de son fol éclat. Il éprouvait même une sorte de soulagement à se livrer à sa colère contre la jeune fille qui l'avait jeté dans ces perplexités cruelles. Il maudissait le jour où il l'avait connue, celui où il s'était laissé prendre à son amour; il allait jusqu'à se repentir du bien qu'il lui avait fait et qui avait été la cause première de sa liaison. Puis il se demandait, presque avec colère, d'où lui venait cet acharnement d'amour, alors qu'elle aurait dû comprendre qu'il ne la payait plus de retour? Que ne faisait-elle ce qu'avaient fait tant d'autres? En se donnant, ne savait-elle pas qu'une pareille liaison ne pourrait être éternelle? Sa position dans le monde et celle d'Arthur l'avertissaient suffisamment du sort qui était réservé à cet attachement sans issue, et le jeune homme ne l'avait trompée par aucune promesse. Elle avait donc accepté volontairement une alliance passagère de jeunesse et de plaisir; pourquoi vouloir maintenant faire à cette alliance une perpétuité qu'elle ne pouvait avoir?

A toutes ces raisons, la conscience répondait bien par quelques murmures. De tendres pitiés s'élevaient par instans dans le cœur de Boissard pour la pauvre enfant qu'il avait perdue; mais il repoussait ces mouvemens d'une sensibilité importune, revenait à ses raisonnemens et s'endurcissait par l'irritation.

Hélas! Louise portait ainsi bien vite la peine de sa propre faute. Les mêmes sophismes dont elle s'était servie pour justifier sa trahison envers Antoine, Boissard y avait recours aujourd'hui à son tour, pour justifier sa trahison envers elle.

Enfin, après de longues réflexions, le jeune homme se décida à faire un effort, et quoi qu'il lui en coutât, à rompre avec Louise.

Quant aux moyens, il n'y en avait qu'un ; il craignait trop sa faiblesse en présence des larmes de la jeune fille, pour s'exposer à une entrevue ; il résolut donc de lui écrire, et, se défiant de sa résolution, il voulut lui écrire sur-le-champ.

XIV.

Il avait déjà pris une plume qu'il tournait avec embarras entre ses doigts, lorsque la porte de son cabinet s'ouvrit brusquement. A une exclamation poussée par une voix connue, il se détourna vivement et jeta à son tour un cri de surprise et presque de frayeur. Louise était arrêtée sur le seuil.

— Vous ici ? dit-il, stupéfait.

— Je ne pouvais rester plus long-temps sans vous voir, répondit-elle.

— Mais vous n'y avez pas pensé ! venir ici en plein jour ! on vous aura vue.

— Que m'importe? il fallait bien que je vinsse, puisque vous ne veniez pas.

Arthur frappa sur son bureau avec impatience, et se levant :

— Mais vous êtes folle; pourquoi ne pas attendre? Qui vous a dit de venir? Mais vous voulez donc me perdre?

Elle recula de surprise.

— Vous perdre! Ce n'est donc pas moi que je perds en venant?

Et, comme si un trait de lumière l'eût subitement éclairée :

— Ah! je comprends, vous avez peur qu'elle ne le sache.

— Que voulez-vous dire?

— Oh! je sais tout, ne cherchez pas à me tromper. Ne l'ai-je pas vue cette femme que vous me préférez? Je sais tout, vous dis-je; je vous suis partout, je vois toutes vos actions. J'étais sur le mail; n'ai-je pas remarqué comme elle vous a souri, comme vous la regardiez lorsque vous l'avez enlevée du traineau! Ah! j'étais là, Arthur, j'étais là.

Ce souvenir réveilla la mauvaise humeur de Boissard.

— Je ne m'en suis que trop aperçu, dit-il. Grâce à vous, je suis, depuis deux jours, le sujet de toutes les conversations et de toutes les plaisanteries ? Mais qui vous a donné le droit d'espionner ainsi mes démarches ?

Louise joignit les mains.

— Mon Dieu ! avez-vous même oublié que je vous aime ?

— Étrange manière de prouver de l'amour que de fatiguer par des extravagances et des jalousies.

La jeune fille laissa tomber ses mains jointes, baissa la tête et se mit à pleurer. Arthur fit quelques tours dans la chambre sans parler; mais enfin, appelant à lui tout son courage, il s'approcha d'elle et lui prit la main.

— Écoutez, Louise, dit-il, nous ne pouvons rester ainsi : nous ne nous voyons plus que pour nous quereller, et je ne puis vous parler sans faire couler vos pleurs ; il faut que cela finisse.

Elle leva sur lui ses grands yeux pleins de larmes avec une expression d'espoir.

— Nos positions dans le monde sont trop différentes pour que nous ayons pu jamais songer à une union que ma famille d'ailleurs ne souffrirait pas. Nous l'avons senti tous deux, car jamais, vous le savez, il n'en a été question entre nous dans nos rêves les plus lointains. Nous serons donc condamnés à vivre toujours séparés, à nous cacher du monde, à avoir honte d'une affection à laquelle enfin il nous faudra tôt ou tard renoncer.

Louise fit un mouvement.

— Écoutez-moi, écoutez-moi, tâchez de conserver votre calme pour me comprendre. Je le répète, tôt ou tard il nous faudra renoncer l'un à l'autre, car la vie est la vie, et nul ne peut se soustraire à ses nécessités. Le mariage est le but définitif de toute existence. Lors même que nous voudrions nous refuser aux joies d'une famille et à une position fixe, les circonstances seraient plus fortes que notre volonté. Il faut donc que le cœur fasse cet aveu à la raison ; ne pouvant nous unir par un lien légitime, nous devrons nécessairement nous séparer quelque jour : il s'agit maintenant de savoir s'il ne vaut pas mieux prévenir une nécessité fatale que de l'attendre. Déjà vous voyez que notre liaison n'est pour nous qu'une source de soucis et de souffrances. Or, c'est là un avertissement. Quand un amour n'apporte plus le bonheur, c'est que sa fin est proche. Pourquoi prolonger une cruelle agonie? Soyez sage, Louise! devenons amis d'amans que nous avons été. Je n'oublierai jamais les heures que j'ai passées près de vous; vous trouverez toujours en moi un frère tendre et dévoué; mais, croyez-moi, n'attendons pas plus longtemps une rupture; séparons-nous sans colère, tandis que nous nous aimons encore.

En parlant ainsi, Boissard secouait doucement les mains de l'enfant, qu'il tenait dans les siennes, comme pour l'exciter à répondre; car celle-ci se taisait. Elle avait tout écouté dans un silence qui avait presque l'air d'être du calme. Seulement ses regards avaient pris insensiblement une expression égarée, tout son corps s'était mis à trembler et sa respiration était devenue entrecoupée. Quand Arthur eut fini de parler, elle ferma les yeux, étendit les mains en avant comme si elle eût vu un abîme, et se laissa tomber à genoux en poussant un gémissement.

Boissard, tout troublé, se pencha pour la soutenir.

— Calmez-vous, Louise; au nom du ciel, revenez à vous.

Mais les sanglots étouffaient la jeune fille : enfin , pourtant, un torrent de larmes parut la soulager; elle leva les regards et les mains au ciel avec une expression indicible de désespoir.

— Je ne me trompais donc pas, murmura-t-elle; il ne m'aime plus, il en aime une autre maintenant!

Boissard pensa que, l'occasion venue et le premier pas fait, il ne devait pas reculer.

— Eh bien! répondit-il d'une voix affectueuse, mais ferme, si vous avez cette pensée, vous voyez bien qu'il faut nous séparer.

— Ainsi, c'est vrai! cria Louise en le regardant.

Il baissa les yeux.

— Oh! c'est vrai, mon Dieu! il en aime une autre! et il ose me le dire et il n'a pas peur que je meure!

Et se frappant le front de ses poings :

— Oui, mourir! cela vaut mieux, je souffrirai moins long-temps.

Elle courut vers le balcon, Boissard n'eut que le temps de la saisir dans ses bras.

— Louise! s'écria-t-il épouvanté, Louise, vous êtes folle.

Elle détourna vers lui son visage défait.

— Vous avez raison, dit-elle avec une douceur navrante, il ne faut pas que ce soit ici ; si je me tuais chez vous, on en parlerait, et elle ne voudrait peut-être plus vous épouser.

— Louise ! oh ! revenez à vous ; écoutez-moi.

— Vous écouter ; à quoi bon ? Ne m'avez-vous pas dit que vous vouliez me quitter ? qu'ai-je besoin de savoir autre chose ! Vous voulez me quitter... ; et que deviendrai-je, alors, moi ? J'ai besoin de vous, je n'ai plus que vous au monde ! Mais vous l'aimez donc bien cette femme ? Qu'a-t-elle pour que vous l'aimiez tant ? Est-ce parce qu'elle est élégante et riche ? parce que c'est une demoiselle ? O mon Dieu ! fais donc que je sois aussi une demoiselle pour lui plaire ! Mais cette femme, vous ne lui êtes pas nécessaire comme à moi : pourquoi m'abandonneriezvous pour elle ? Je vous ai aimé la première, je vous aime plus qu'elle, plus qu'elle ne vous aimera jamais. Quel droit a-t-elle sur vous ? que vous veut-elle ?

— Louise !...

— Ah ! j'irai la trouver, continua-t-elle avec emportement, j'irai la trouver.

— Vous ne le ferez pas ! s'écria Arthur effrayé.

— Je le ferai ; pourquoi aurais-je pitié des autres, puisque personne n'a pitié de moi ? J'irai la trouver, je lui dirai tout ; je lui raconterai ce que je souffre ; je tomberai à ses pieds, et, si elle ne veut pas renoncer à vous, je me tuerai devant elle.

Boissard s'arrêta devant la jeune fille, pâle de colère et de peur.

— Vous ne ferez pas cela ; dites que vous ne le ferez pas.

— Je le ferai.

— Vous avez donc juré d'être mon nouveau génie ?

— Pourquoi, pourquoi ne voulez-vous pas m'aimer ?

— Non, je ne vous aime plus, s'écria-t-il, car vous n'êtes pour moi qu'une cause de trouble et de douleur. J'ai tâché de rendre moins pénible une séparation nécessaire, et vous ne l'avez pas voulu. Vous m'avez menacé; eh bien! soit, faites; accusez-moi d'une faiblesse dont je rougis maintenant; mais que tout soit fini entre nous, que je ne vous voie plus, que je ne vous entende plus; tout m'est égal, pourvu que je sois délivré de vous.

Louise paraissait comme frappée de la foudre. Pâle, droite, les yeux fixes, elle demeura un instant étourdie; puis, levant tout à coup ses regards sur Arthur, elle jeta un cri, joignit les mains d'un geste insensé et s'élança vers la porte.

— Adieu, Arthur! dit-elle.

Boissard voulut courir sur ses pas, mais elle était déjà disparue.

XV.

En sortant de chez Boissard, Louise courut devant elle, ne voyant rien, n'écoutant rien et ne se sentant pas marcher. En entendant Arthur prononcer ces mots : Je ne vous aime plus, elle avait éprouvé une telle révolution et une si horrible douleur, qu'une idée, une seule, lui était venue, l'idée de mourir.

Peu lui importaient le moyen et le lieu, mais elle avait besoin de mourir, elle voulait mourir. Elle marcha d'abord sans savoir où elle allait. Dans tout son être elle ne sentait que deux choses : une voix qui montait de son cœur et qui disait : Je ne t'aime plus ; et une sorte de battement douloureux, semblable au pendule d'une horloge, qui résonnait dans son cerveau en répétant : Mourir ! mourir !

Ce ne fut qu'après une heure de marche, et lorsque l'exercice et le grand air l'eurent un peu ramenée au sentiment de son existence, qu'elle s'aperçut qu'elle se trouvait dans la campagne et devant le cimetière; Dieu semblait l'avoir conduite là à dessein : elle y entra.

Ses regards se promenèrent sur le vaste

champ des tombes avec une sorte d'avidité. Elle crut sentir que sa tête se calmait, comme si quelque chose de froid s'exhalait de ces marbres. En parcourant, d'un pas chancelant, les longues rues de mausolées, ses yeux cherchèrent machinalement autour d'elle quelque nom ami, mais en vain : alors elle songea qu'elle n'avait pas même au cimetière une pierre sur laquelle, à défaut d'un sein protecteur, elle pût reposer son front; cette idée l'attendrit sur elle-même et elle recommença à pleurer.

Il est rare que les grands mouvemens de désespoir résistent à ces expansions. De même que les orages du ciel éteignent leurs foudres dans les pluies, les orages de l'ame se fondent bien vite dans les larmes. Le cœur douloureusement gonflé semble alors se décharger; c'est comme un abcès qui crève et trouve subitement son issue. Une fois que les pleurs de Louise eurent commencé à couler, elles éclatèrent sans qu'il lui fût possible de les retenir.

Elle s'assit sur un tombeau, la tête courbée sur ses genoux, et leur laissa un libre cours. A chaque instant, une nouvelle pensée venait pour ainsi dire fouetter sa douleur et en redoubler les crises. Elle se rappelait le regard, les gestes d'Arthur pendant cette scène cruelle, et se répétait les mots terribles qu'il avait prononcés :

Je ne vous aime plus !

Parfois, aussi, les souvenirs du passé lui revenaient par bouffées dévorantes. Des sons passaient à son oreille. C'était le nom d'amour qu'Arthur avait coutume de lui donner, l'inflexion de sa voix en la nommant! c'étaient mille images : la caresse qu'il lui faisait en partant, le regard qu'il lui jetait du seuil, l'adieu qu'il lui envoyait de la main ! Et toutes ces réminiscences poignantes s'éveillaient comme à dessein : on eût dit qu'une brise fatale lui apportait tous les parfums célestes du paradis qu'elle avait perdu pour le lui faire regretter plus amèrement; car c'est là une des plus dures conditions de la vie. Le bonheur passé ne paraît, le plus souvent, qu'une dérision du présent, il n'y a que les souvenirs de souffrance que l'on puisse se rappeler sans peur; ceux-là même on les regarde avec une sorte de confiance, car c'est comme des quittances données par le malheur.

La réflexion découvrit à chaque instant à

Louise quelque cause inaperçue d'affliction. Elle armait son esprit de tous ses souvenirs, comme d'autant de flèches dont elle se perçait elle-même aux endroits les plus sensibles. Dans les grandes souffrances morales, nous éprouvons toujours le besoin de creuser ainsi notre douleur pour en faire jaillir jusqu'aux moindres sources. Une sorte d'instinct féroce qui s'éveille alors chez l'homme le pousse à s'acharner sur lui-même, et son intelligence devient un scalpel avec lequel il fouille furieusement aux plis les plus cachés du cœur.

Mais, quelque cruelles que fussent les expériences faites ainsi par Louise sur elle-même, elles eurent pour résultat d'amortir le premier élan de son désespoir. A force de manier son malheur, elle s'accoutuma à le regarder en face; elle en prit possession et s'y arrangea. Si quelque moyen de destruction se fût offert à elle lorsqu'elle sortit de chez Arthur, nul doute qu'elle ne l'eût saisi sans hésitation; la mort, dans ce moment, ne lui eût paru qu'une route prompte pour échapper à une situation qui lui semblait intolérable; mais maintenant qu'elle voyait la possibilité de vivre avec cette douleur, elle avait moins de hâte : elle était bien encore résolue à mourir, mais elle voulait prendre son temps et ses arrangemens. Une fois décidée, en effet, l'exécution n'était plus chose si pressée. Elle pouvait au moins jouir de son suicide, goûter toutes les farouches et terribles jouissances des derniers préparatifs, écrire à Arthur et le forcer à venir pleurer sur son cadavre.

Elle remit donc pour l'instant l'accomplissement de son projet.

D'ailleurs, elle ne pouvait se tuer dans la campagne. Un sentiment éprouvé par tous ceux qui ont voulu en finir avec l'existence l'arrêtait. Sous ce ciel limpide, au milieu de cette nature murmurante, il lui semblait que Dieu la voyait, et elle avait honte du suicide comme d'un sacrilége. Chez soi, entre des murs sombres, les portes fermées, les rideaux baissés, loin des hommes et de la pensée de Dieu, se tuer est facile, rien ne vous détourne de votre douleur, tout est plus petit qu'elle; mais comment mourir quand les oiseaux chantent, quand les fleurs embaument, quand les fontaines bruissent dans l'herbe, quand les brises viennent baiser votre front brûlant! La vie déborde autour de vous, elle vous inonde, vous la pompez par tous les pores; tout est si grand, si noble, si beau sous vos yeux, que vous vous sentez pris d'une honte secrète de penser à vous

seul au milieu d'un tel spectacle. Votre fièvre d'ailleurs s'éteint insensiblement. Trop
d'images douces et invitantes viennent distraire votre peine ; vous n'êtes plus assez
malheureux. Peut-être même qu'au détour
d'un sentier votre œil, long-temps baissé, se
relève et rencontre un nuage qu'il se met à
suivre malgré lui ; peut-être votre main, cris-
pée par un geste de fureur, trouve une fleur
qu'elle effeuille machinalement ; peut-être
votre oreille distraite saisit-elle un chant que
vous apprit votre nourrice, et vos lèvres le
répètent-elles tout bas à votre insu ; puis, le
nuage, la fleur, le chant s'emparent peu à
peu de vous ; l'idée unique qui vous préoc-
cupait semble se fondre et se perdre dans ces
nouvelles sensations, et vous laissez votre
ame flotter long-temps au courant d'une rêverie vagabonde, jusqu'à ce qu'une réflexion
subite ne vienne la heurter et qu'elle ne

rappelle à elle le désespoir oublié. Mais celui-ci ne revient qu'à regret, et moins irrévocable. Quelquefois alors vous vous hasardez à le sous-peser, non pas encore pour essayer de le supporter, mais par curiosité et comme pour le comparer à vos forces. Puis, involontairement, vous sentez que vos forces l'emportent, et la pensée vague que vous pourriez vivre traverse votre ame. Alors seulement se décide la fatale question. Alors, placé comme en équilibre sur la tombe, un souffle peut vous y précipiter ou vous sauver; le hasard décide seul de vous. Calice déjà plein, votre cœur n'a besoin que d'une larme de plus pour fléchir, d'une larme de moins pour se ranimer.

Après plusieurs heures de méditation et de pleurs, Louise en était arrivée à cette situation incertaine. Sans s'être avoué à elle-même que sa résolution de mourir était moins ferme, elle s'arrêtait debout sur la frontière des deux mondes pour regarder en arrière. Qu'une main se fût alors tendue, qu'une voix l'eût appelée, qu'un fait l'eût réattirée quelques instans dans la vie, et c'en était fait de son courage. En effet, une fois avortées, ces déterminations extrêmes ne se reprennent pas; le désespoir ne peut s'ajourner ainsi, et on ne le retrouve pas à volonté assez violent pour réessayer la mort. D'ailleurs l'heure opportune est passée, et ces suicides remis ont quelque chose de ridicule qui arrête. Une fois que l'on a laissé tomber le poignard à terre, on a honte de se baisser pour le reprendre, et l'on se résigne à vivre, ne fût-ce que par amour-propre.

Louise sentait tout cela sans se l'être dit et sans le soupçonner elle-même; car, sincère dans son projet, elle croyait en retarder seulement l'exécution de quelques instans.

Cependant elle songea à regagner sa demeure; elle avait repris assez d'empire sur sa douleur pour traverser la ville sans attirer l'attention, et l'habitude l'emportant sur l'émotion, elle retrouva bientôt, à son propre insu, sa démarche timide de jeune fille. Ah! qui eût pu deviner, sous cette apparence modeste, calme et silencieuse, tant d'angoisseuses passions? Qui eût dit en voyant passer cette enfant, si attentive à rendre les saluts, si soigneuse d'éviter les embarras de la rue, que la grande question de la mort et de la vie s'agitait alors dans son ame? Et combien de ces drames intérieurs se jouent partout autour de nous sans que nous le sachions? Qui ne s'est demandé quelquefois, en traversant la foule et en laissant glisser son regard sur tant de visages marqués au même coin banal, ce qui arriverait si tous les masques tombaient à la fois et si tous les fronts dévoilaient subitement toutes les ames! Que de haines, que de souffrances, que de désirs, que d'histoires déchirantes ou hideuses seraient alors révélés! De tant de visages sereins en apparence, combien en resterait-il éclairés de joie et de paix? L'humanité n'a de tranquille que sa surface; chacun croise bien son habit sur l'ulcère qu'il veut cacher; chacun voile ses difformités sous une élégance apprêtée, comme le peuple sa saleté sous des habits de fête; mais la foule n'est jamais qu'un amas de douleurs ou de vices endimanchés.

Le premier sentiment qu'éprouva la jeune fille en arrivant chez elle fut un sentiment de bien-être; elle pouvait enfin déposer toute contrainte, on ne la voyait plus. Elle se jeta sur une chaise, laissa tomber sa tête dans ses mains, et demeura quelques instans comme étourdie de ce qui lui était arrivé; enfin, relevant les yeux, elle les promena autour d'elle.

Cette chambre sombre et dégarnie allait bien à la tristesse de son cœur ravagé; elle se leva, regarda dans tous les coins avec incertitude, comme si elle eût cherché quelque chose pour envenimer sa douleur ou la consoler; mais rien n'arrêta sa vue, elle fit quelques pas sans but, rangea quelques objets avec cet instinct de femme qui semble survivre même à la pensée, et s'avança enfin vers la fenêtre.

Son réséda abandonné était mort depuis

long-temps, la cage de son oiseau était vide, et le jardin de maître Pillet montrait toujours au devant son gouffre humide tapissé de plantes vénéneuses et de lichens immondes.

Cet aspect désolé lui plut : elle croisa les mains en regardant fixement devant elle. Dans ce moment, il lui sembla que Dieu lui présentait un symbole de toute sa vie. Cette fleur absente, cet oiseau envolé, ce jardin stérile, n'était-ce pas son passé? n'était-ce pas son avenir? Les chants et les parfums de sa jeunesse perdus à jamais, la seule chose qui restât devant son présent désert, n'était-ce pas aussi un champ délaissé, semé de ronces et d'orties?

Elle fit ces rapprochemens faciles en versant beaucoup de larmes, elle se détailla longuement à elle-même la nécessité de mourir, et s'encouragea à en finir avec ses souvenirs déchirans.

D'ailleurs, la honte de vivre encore, après une résolution si clairement exprimée à Arthur, lui venait par intervalles; l'orgueil, cette lie des passions les plus sincères, aigrissait sa douleur et troublait sa raison. Elle s'écriait qu'il fallait mourir, mourir sur-le-champ; et pourtant elle attendait, car le besoin d'exister, plus fort que tout le reste, balançait à lui seul les excitations du désespoir et de l'orgueil.

Et comment en eût-il été autrement? Si jeune encore, si vivace, si vibrante à tout, comment n'aurait-elle pas hésité? Malgré le vent qui en avait brûlé les fleurs, l'arbre de la vie était encore si haut et si puissant, ses racines étaient si profondes ! Quoi qu'on en ait dit, la plus terrible des actions humaines est le suicide. La mort reçue dans l'accomplissement du devoir est facile, parce qu'elle est tranquille, sereine et sans lutte ; mais le suicide est horrible, car il est le résultat d'une révolte intérieure dans laquelle l'ame assassine le corps.

Du reste, nous l'avons déjà dit, il ne fallait, pour fixer les incertitudes de Louise, qu'une circonstance fortuite qui vînt faire pencher la balance de l'un ou de l'autre côté ; elle ne se fit pas attendre long-temps.

Elle était à peine rentrée depuis une heure, lorsqu'on lui apporta une lettre ; c'était d'Antoine. En reconnaissant l'écriture, elle pâlit et chancela.

Elle porta la main à son front en fermant les yeux, comme si elle eût attendu quelque nouvelle douleur; enfin, faisant un effort sur elle-même, elle l'ouvrit. C'était un billet fort court :

« Je ne reçois plus de lettres de vous, Louise; nul ne me donne de vos nouvelles; je ne puis supporter plus long-temps mes inquiétudes. Je pars, et cette lettre ne me précédera que de quelques heures; j'arriverai demain matin. J'ai voulu vous avertir, parce que j'ai craint pour vous l'impression d'un retour inattendu. Louise, comment me recevrez-vous? Je reviens riche assez; mais si vous saviez comme je tremble! Oh! ma vie va se décider. A tout à l'heure, Louise! à tout à l'heure!... Malgré moi ce mot me fait frémir de joie. Quoi! je vais vous voir, entendre votre voix, toucher vos mains, vous appeler ma fiancée?... Oh! mon Dieu! pourvu que ce ne soit pas un rêve. »

A tout à l'heure!

ANTOINE.

L'effet que cette lettre produisit sur Louise fut terrible. Dans toutes les angoisses qui l'avaient torturée depuis quelque temps, elle avait eu soin d'écarter d'elle le souvenir d'Antoine, comme trop difficile à supporter. Plusieurs fois, la pensée de son retour prochain lui était venue, mais elle l'avait aussitôt repoussée avec épouvante. Elle sentait que c'était un malheur imminent, inévitable, dont aucune prudence ne pouvait prévenir les coups; mais, sûre de marcher vers l'abîme, elle avait mieux aimé fermer les yeux et jouir, s'il était possible, des bénéfices de l'imprévoyance. Elle avait ainsi presque réussi à oublier que Larry existât. La nouvelle de son arrivée fit donc sur elle l'effet d'un coup imprévu. Sa tête se perdit à l'idée de se trouver vis à vis de l'homme qu'elle avait trahi, de l'entendre lui donner le nom de fiancée, à elle déshonorée, perdue ! Que pourrait-elle répondre ? Il fallait donc qu'elle lui avouât tout; qu'elle racontât cette longue et déplorable histoire des six mois qui venaient de s'écouler ! Et de quel front, par quels mots, avec quelle voix ? Oh ! cela n'était pas possible; mieux valait mourir; il le fallait même maintenant, et de suite; car il allait arriver. Abandonnée par Arthur, elle pouvait vivre encore peut-être, elle pouvait reparaître devant lui sans trop de rougeur; mais devant Antoine ! Jusqu'à cet instant elle n'avait eu à combattre que sa douleur, maintenant c'étaient ses remords et sa honte. Antoine arrivait; Antoine qui ne savait rien, qui revenait joyeux, confiant, et les bras tendus! Oh! malheur! malheur!

Elle fut un moment folle d'étonnement et de peur; mais tout à coup les incertitudes de son cœur semblèrent cesser. Elle sentit dans tout son être une sorte d'effort et de brisement comme si le grand ressort de la vie s'était rompu; toutes les agitations intérieures s'apaisèrent, et il se fit en elle un calme effrayant : elle était décidée à mourir.

Dès lors, avec le combat finit la souffrance; elle cessa de sentir son corps, comme si sa volonté l'en eût déjà détachée. Une sorte de paix rafraîchissante inonda son ame, et elle entra dans cette phase de lucidité et de puissance sereines qui marquent toujours les instans suprêmes.

Tout fut promptement préparé par elle ; mais il lui restait quelques heures, elle voulut les employer à faire ses derniers adieux.

I.

A M. Randel, médecin.

La lettre ci-jointe, adressée à M. Antoine Larry, votre ami, vous fera comprendre l'importance du service que je vous demande. Vous recevrez cette lettre à huit heures du matin; à dix heures, Antoine arrivera par la diligence; vous irez à sa rencontre et vous l'empêcherez de se rendre chez moi, où l'attendrait un trop lugubre spectacle. Je crains pour lui la première impression : ne le quittez pas; consolez-le et faites-lui sentir que je n'étais pas digne de m'unir à lui, que je ne mérite pas ses regrets. Faites, s'il se peut, qu'il me méprise, je serai reconnaissante de tout ce qui pourra diminuer sa douleur.

Je ne vous presse point davantage, parce que je compte sur vous. Je vous ai vu attentif et bon avec ma marraine que vous ne connaissiez pas; vous ne sauriez l'être moins avec un ami. Surtout, monsieur, ne livrez point Antoine à lui-même. Quelque indigne que je sois de l'affection de ce noble cœur, je sais combien il m'aime, et j'ai peur de son désespoir. Je vous le donne en garde; songez que vous en restez responsable devant Dieu.

Et si la reconnaissance d'une infortunée qui cherche à se faire pardonner sa vie par sa mort peut avoir quelque prix à vos yeux, recevez d'avance mes remercimens et soyez béni pour tout ce que vous épargnerez de souffrance à Antoine.

LOUISE.

II.

A Antoine Larry.

Antoine, quand vous arriverez ici, vous ne m'y trouverez plus : je n'aurais pu soutenir votre présence, et je me suis réfugiée dans le seul asile qui me restât.

J'en aimais un autre que vous, et cet autre ne m'aimait pas. Ce seul mot vous expliquera tout. Malheureuse par le cœur et coupable envers vous, je ne me suis pas senti la force de vivre. Je déplore le chagrin que je vais vous causer, mais je pense avec quelque satisfaction que ce sera le dernier, et qu'il en prévient peut-être beaucoup d'autres. J'étais un mauvais élément dans votre vie, Antoine! Trop petite pour vous, je vous tenais courbé à ma taille. Votre générosité vous avait fait aimer ma faiblesse et ma fragilité, mais elles auraient arrêté votre marche; j'aurais toujours été pour vous un obstacle, jamais une source de bonheur. Dieu a été sage et bon. Il retire de votre chemin le grain de sable qui vous eût arrêté; comprenez ses desseins et remerciez-le.

Vous allez être libre et dans de meilleures conditions que par le passé pour parcourir l'existence. Vous n'êtes plus pauvre, vous n'êtes plus sans moyens de réussite; marchez devant vous maintenant. Une pensée qui me console, c'ést que j'ai aidé à vous faire avancer en me montrant quelque temps à vous comme un but. J'aurai été un de ces mirages que le voyageur aperçoit à l'horizon, et vers lesquels il court : en approchant, tout s'évanouit; mais ce mensonge a soutenu ses forces, hâté ses pas, et, grâce à lui, peut-être il arrivera plus vite au terme véritable.

C'est seulement depuis votre départ que j'ai compris tout ce que je vous dois. Maintenant j'ai honte de vous avoir méconnu si long-temps. Oh! si j'avais su me hausser jusqu'à votre ame et y lire! Mais je n'étais pas assez noble pour vous aimer! Non, Antoine, la main de Dieu s'est encore montrée là; il n'a point voulu qu'une femme vulgaire jouît d'un trésor d'amour fait pour un ange; il vous a destiné à quelqu'autre plus digne : cherchez-la, mon ami, et donnez-lui le bonheur que je ne méritais pas; c'est pour vous un devoir, car les hommes aussi bons que vous l'êtes sont un don du ciel; ils se doivent au monde comme l'air et le soleil.

Surtout, Antoine, ne déplorez pas trop amèrement ma mort! A quoi pouvais-je servir? Quel bien ai-je fait depuis que je suis née? Je n'ai été quelque chose sur la terre que parce que je suis devenue pour vous une occasion d'être généreux et grand; c'est là ma seule excuse d'avoir vécu.

Je veux que vos bienfaits me suivent au delà de la vie; vous m'avez donné un toit quand je n'en avais plus, c'est à vous que je demande une tombe : ce sera votre présent de noce. Vous mettrez, sur la pierre qui couvrira ma fosse, mon nom et deux dates qui diront le temps que j'ai vécu. Être inutile, toute mon existence est là ; j'ai eu un nom, je suis née et je suis morte...; rien de plus, si ce n'est un mauvais rêve dans l'intervalle. Je veux que cette tombe soit pour vous une consolation, Antoine; quand vous sentirez que votre cœur est triste, vous viendrez y penser au bien que vous avez fait !

Adieu, mon ami et mon frère : je pleure en écrivant ces derniers mots, mais ce n'est pas de douleur; c'est de piété, de reconnaissance, d'admiration. Je voudrais que vous fussiez là pour que je pusse me mettre à vos genoux et recevoir votre bénédiction. Quant à me pardonner, je ne vous l'ai pas demandé ;

on ne demande pas aux anges d'être bons ! Adieu ! soyez heureux et tranquille dans cette vie ; moi je vais en essayer une autre.

LOUISE.

III.

A Arthur Boissard.

Quand vous reconnaîtrez l'écriture de cette lettre, Arthur, n'éprouvez point de colère, c'est la dernière que vous recevrez de moi; et, quand vous la recevrez, je ne pourrai plus être pour vous un objet de crainte ni d'embarras; je serai entre les mains de Dieu, qui, seul, décidera de moi. Si j'ai voulu vous écrire encore une fois, c'est que, dans ce moment suprême, la vie m'apparaît sous un nouveau jour, et que je sens le besoin de vous épargner des regrets.

Ne croyez pas que je meure parce que je vous aime et parce que vous m'avez abandonnée; non : d'autres ont aimé autant que moi, ont été abandonnées comme moi, et ont trouvé dans la pureté de leur cœur la force de souffrir. Mais moi, j'ai commis une faute, j'ai été déloyale envers Antoine, et Dieu punit aujourd'hui l'improbité de mon cœur en me retirant le courage : cela est juste, et je ne puis ni me plaindre, ni accuser. Alors même que vous auriez continué à m'aimer, j'aurais été malheureuse, car j'aurais eu un remords dans ma vie.

Ne vous faites donc aucun reproche, ce que je souffre, je l'ai mérité. J'ai préféré l'ivresse de quelques jours aux paisibles jouissances du devoir; j'ai demandé votre amour que vous ne me proposiez pas, et vous me l'avez accordé. Oh! je vous remercie. Tout ce que j'aurai goûté de joie sur la terre, c'est à vous que je l'aurai dû; qu'importe que je l'aie payé de ma vie? sais-je seulement ce qu'il me restait à vivre. Si la douleur me frappe aujourd'hui, demain, peut-être, c'eût été la maladie; l'amour ne me coûte que le sacrifice d'une incertitude, et qui pourrait dire ce qu'il m'a donné de bonheur?

Ne me plaignez donc pas, Arthur, seulement pardonnez-moi ce que je fais. Je sais que je jette ainsi un mauvais souvenir dans votre existence et, pour vous l'épargner, j'aurais voulu vivre ; mais je ne l'ai pu.

Du reste, mon fantôme ne vous obsédera pas long-temps. L'oubli est une fleur que la bonté de Dieu fait pousser naturellement sur les tombes ; bientôt vous pourrez entendre parler, sans tressaillement, de jeunes filles mortes d'amour ; mon nom donné à une autre ne vous troublera plus, et vous passerez devant ma porte sans détourner les yeux. Cela doit être ainsi, et, quoique mon cœur se serre d'y penser, j'en remercie Dieu. Puissé-je, seulement, ne pas disparaître entièrement de votre mémoire et y rester comme une ombre entrevue autrefois dans un rêve !

Quant au bruit que pourra faire ma mort, ne craignez rien, votre nom ne sera point mêlé à ce vulgaire évènement; j'ai tout prévu pour mourir silencieusement. Seulement ne montrez ni étonnement, ni douleur; laissez porter au cimetière une bière de plus : c'était ma vie qu'il fallait pleurer, et non ma mort. Ne vous informez ni du jour où j'aurai cessé d'être, ni de la place que j'occuperai parmi les cercueils; ce serait une imprudence inutile; une pauvre fille du peuple qui se tue parce qu'elle souffre trop, cela n'est pas assez rare pour qu'on y fasse attention long-temps. Dans huit jours, ma chambre sera louée, et tout le monde aura oublié comment je suis morte; oubliez-le comme tout le monde.

Seulement, Arthur, écoutez ma dernière prière. S'il se trouve sur votre chemin quelque jeune fille, encore paisible, qui vous regarde avec complaisance, ayez pitié d'elle et fuyez; fuyez, car une liaison innocente devient bientôt une passion; on croit jouer avec l'amour d'une enfant, et, un jour, on la tue sans le vouloir. Ne faites point cela, mon ami, n'aimez plus que la femme que vous aimerez toujours.

Maintenant, adieu et soyez béni! Prête à vous quitter, je voudrais pouvoir serrer encore vos mains sur mes lèvres...; car, je t'aime, ô mon Arthur! je t'aime plus que tout!... Mais la mort ainsi serait trop douce... Adieu, vivez long-temps et soyez aimé!

LOUISE.

XVI.

Après ces lettres, Louise se sentit épuisée; elle avait dépensé toute sa résignation à les écrire, et son ame, fatiguée de l'élévation à laquelle elle s'était tenue un instant, retomba dans la douleur, plus faible que jamais.

Elle passa donc presque subitement de l'abnégation qui avait dicté son langage à toutes les agitations du désespoir ; l'approche de la mort commençait à la jeter dans ce délire fiévreux et entre-coupé qui précède d'ordinaire ce moment extrême. Pressée d'en finir avec la vie et effrayée de la quitter, à la fois éperdue et craintive, elle n'avait plus ni la possession d'elle-même, ni la conscience de ce qu'elle voulait ; elle était semblable au criminel que le tombereau va emporter : son libre arbitre l'avait quittée, et, condamnée à mort, elle n'attendait plus que l'heure ; mais elle l'attendait dans les angoisses et l'égarement.

Par instans, cependant, le calme lui revenait, et alors, reprenant sa résolution, elle songeait à conserver à sa dernière action une gravité sereine ; elle arrangeait tout autour d'elle, elle cherchait à donner à son humble asile ce luxe de propreté et cette élégance sans frais, coquetterie de la ménagère pauvre, mais paisible; elle déroulait, devant le foyer, la natte de jonc; elle versait de l'eau sur les fleurs qui penchaient dans les vases leurs têtes demi-fanées, elle arrondissait plus gracieusement les plis de ses rideaux blancs. Mais, au milieu de ces occupations tranquilles, la vue d'un objet, un souvenir, une pensée, la ramenaient au sentiment de sa situation; elle s'arrêtait, frissonnante, et alors revenaient les larmes et les désolations.

Pendant ces crises alternatives de résignation ou de douleur, elle fut plusieurs fois sur le point d'écrire de nouveau à Arthur, mais elle résista à ces tentations; et voulant que son sacrifice conservât, du moins aux yeux de ceux qui l'avaient aimée, son caractère d'élévation touchante, elle appela une voisine et lui remit ses lettres.

Quand elle fut ainsi murée dans son projet, elle acheva tous ses préparatifs. Jetant ensuite un long et dernier regard à sa chambre où elle avait été si heureuse, elle en fit deux fois le tour, regarda quelques objets en pleurant, se pencha pour respirer le parfum des fleurs, puis portant ses deux mains à sa bouche comme pour envoyer un baiser à tout ce qu'elle quittait, elle entra dans la seconde chambre, en ferma la porte derrière elle, et alluma le réchaud qui devait finir ses souffrances.

Nous n'arrêterons point nos regards sur ce qui se passa alors, car il est des images que l'art et l'humanité défendent d'offrir à la vue; nous donnerons seulement quelques fragmens qu'elle écrivit, sans suite, sur des feuilles détachées. . . . .

. . . .

« Tout est prêt, le charbon flamboie; adieu Arthur! j'ai mis la robe rose que je portais le jour où je t'ai vu pour la première fois; j'ai arrangé mes cheveux, comme je les arrangeais alors; mais ma robe est fanée, et beaucoup de mes cheveux sont tombés depuis; quand je me suis aperçue dans le miroir, je me suis fait pleurer.

» J'ai pris la montre que tu m'as donnée, je sens son battement contre ma poitrine, j'entends son bruit; il me semble que c'est quelque chose de toi, qui me touche et me parle. . . . .

. . . .

»Tu m'as toujours paru comme un prince, Arthur, tant je te trouvais noble et beau; le bonheur suprême, pour moi, eût été de vivre à tes pieds comme un chien fidèle, sentant ta main passer de temps en temps sur ma tête. Quand je me suis donnée à toi, je n'ai eu ni hésitation, ni honte, je te sentais mon maître, et je ne voulais plus que ta volonté. O mon Dieu! quelles heures j'ai passées près de toi, et comme tu savais bien m'aimer! J'étais ton enfant : tu me faisais sauter sur tes genoux; tu m'enlevais dans tes bras pour me faire toucher le plafond de la main; tu me berçais sur ta poitrine, comme un nourrisson que l'on endort. Te rappelles-tu ce soir où tu m'arrangeas toi-même mes cheveux, scellant chaque papillote d'un baiser? O mon roi! que tu étais alors joyeux et bon! Comment tout cela a-t-il pu finir? comment ces délicieuses et innocentes folâtreries ont-elles pu aboutir à la mort ? . . . .

. . . .

» L'air devient étouffant !.... Que cela est horrible de mourir ! Oh ! j'ai peur, j'ai peur! Où trouver du courage? Je n'ose en demander à Dieu ; Dieu a horreur du suicide. Ce que je fais est mal, le prêtre me l'a dit quand j'étais petite ; mais alors je ne croyais guère, hélas ! que je devais me tuer un jour : j'avais tant de peur de mourir, qu'un mal de tête me faisait pleurer ; et maintenant !... Oh ! j'ai bien mal, j'ai la fièvre, un cercle de fer me presse les tempes. Arthur ! Arthur ! pourquoi as-tu cessé de m'aimer ?

» Ah ! si je pouvais le voir encore, si je me traînais à ses pieds, peut-être il aurait pitié de moi : j'aurais tant aimé à vivre !

Mon Dieu ! ne plus voir le jour, ne plus entendre les oiseaux !... Que vais-je devenir ?... Et ne pas oser prier, car j'ai oublié à prier... Il faut pourtant que je parle à Dieu, il n'y a plus que lui qui puisse m'entendre. Cet air.....; j'étouffe..... : à genoux.....; oh ! je veux mourir à genoux ! »

XVII.

Les précautions prises par Louise pour épargner à Antoine l'horrible tableau qui l'attendait chez elle n'eurent pas le résultat qu'elle en espérait. Randel était absent lorsque la lettre fut apportée, et ne put, par conséquent, aller au devant de Larry : celui-ci arriva à l'heure indiquée, et, à peine descendu de diligence, courut chez la jeune fille.

Il éprouvait une indicible joie, en traversant rapidement les rues de Rennes, à reconnaître chaque carrefour, chaque maison, chaque puits banal; il cherchait des yeux la bâtisse commencée à son départ, et la retrouvait finie et déjà habitée; le moindre changement effectué, pendant son absence, frappait son regard; il voyait, dans leurs comptoirs, les marchands dont les visages lui étaient familiers depuis son enfance; il entendait les cris des porteurs d'eau, le son des cloches, tous ces bruits accoutumés, voix de la ville natale dont il reconnaissait l'accent; mais, au milieu de ces délicieuses émotions du retour, l'image de Louise flottait devant lui et précipitait ses pas. A la vue de la maison de maître Pillet, son cœur battit plus fort : c'était là !.....

Il entra, ivre et les yeux voilés d'un nuage; la porte était devant lui. Il s'arrêta un instant, tremblant d'émotion, et écouta s'il n'entendait pas la voix ou les mouvemens de Louise; mais tout était silencieux. Il frappa, et ouvrit presque en même temps. Son rapide coup d'œil parcourut la chambre; tout était vide! Il courut à la porte de la seconde pièce, voulut la pousser, mais la porte résista; il appela, tout resta muet. Ce fut un véritable désappointement : Louise était sortie.

Cependant il pensa qu'elle reviendrait bientôt, puisqu'il avait trouvé sa chambre ouverte. Il jeta les yeux autour de lui avec une sorte de ravissement. Tout annonçait la présence d'une femme, tout respirait un calme heureux et tendre. Les fleurs répandaient dans l'appartement leur senteur parfumée, et l'on voyait sur un guéridon, près de la fenêtre, quelques broderies négligemment jetées à côté d'une corbeille à ouvrage. Antoine s'approcha : il reconnut le petit dé d'ivoire de Louise, à son cercle de cuivre dédoré, et l'étui de bois d'if avec lequel il aimait tant à jouer lorsqu'il venait s'asseoir près de la jeune fille pour la voir travailler. Sur une commode, il aperçut une coupe de cristal qu'il avait autrefois donnée; plus loin était l'étroite couche mystérieusement enveloppée dans ses rideaux blancs, et au dessous se montraient deux petits souliers conservant encore la svelte empreinte du pied qu'ils avaient pressé.

Antoine contemplait tout, le cœur gonflé

d'ivresse; la chaste austérité de ses mœurs avait donné à tout son être une sensualité exquise, et la vue de cet intérieur, qui n'eût rien dit à un libertin, le jeta dans une extase indicible. Chaque objet qui frappait ses regards l'enivrait délicieusement, et la volupté lui entrait par tous les pores, au milieu de cette atmosphère où Louise avait respiré. En approchant de la blanche couche de la jeune fille, un frémissement suave parcourut ses nerfs; ses regards dévorans plongèrent un instant entre les rideaux, semblant chercher place pour deux têtes sur l'oreiller vide; mais presque aussitôt il ferma les yeux, on eût dit qu'un éblouissement de bonheur l'avait étourdi.

Il revint à pas lents vers la fenêtre, s'arrêtant devant chaque chose, touchant tout, comme s'il eût espéré retrouver l'empreinte des doigts de Louise, ouvrant les tiroirs pour regarder, avec une enfantine curiosité, les parures de la jeune fille soigneusement rangées, puis les refermant avec une sorte de honte. Après avoir ainsi fait le tour de la chambre, il s'assit de nouveau.

Dans ce moment, son cœur était si plein d'enchantement, que les plus doux souvenirs du passé lui revinrent ; il pensa au temps où Louise, encore libre et gaie avec lui, le recevait en jetant le cri de joie d'une enfant, et lui faisait une place sur la chaise où elle appuyait ses pieds ; il se voyait encore, sur cette chaise, lui prêtant ses bras pour dévidoir, ou bien, écolier maladroit, essayant, au milieu des éclats de rire de la jeune fille, à continuer la broderie commencée par elle. Oh ! les belles soirées ! les douces fainéantises ! les charmans enfantillages ! Puis il se rappelait les heures où, plus grave, il restait muet et immobile devant elle, faisant tourner ses ciseaux sur son doigt, et attendant qu'elle levât les yeux et qu'elle avançât la main, avec un sourire, pour les redemander. Ah! ce regard, cette main, ce sourire, c'était là de quoi remplir des heures, des journées, des mois entiers; d'ailleurs, n'était-il pas près d'elle? ne touchait-il pas ses vêtemens? ne sentait-il pas son haleine sur son front? Quelquefois, en jouant, ne défaisait-il pas une boucle de ses cheveux? et, quand elle levait la tête, ne se voyait-il pas au fond de ses yeux limpides comme au fond d'une source? Hélas! était-il bien sûr que l'avenir lui gardât d'aussi calmes jouissances? Retrouverait-il, dans l'union qu'il allait former, ces pures délices des premières émotions, cette facilité de bonheur, privilége de l'amour naissant?

Ces doutes lui inspirèrent une tristesse vague, et, la tête appuyée sur une de ses mains, il oubliait l'attente dans une méditation rêveuse, lorsque tout à coup la porte s'ouvrit brusquement; Antoine se leva avec une exclamation, persuadé que c'était Louise; il se trouva face à face avec Randel. A son aspect, celui-ci fit un geste de désespoir.

— Ah! voilà ce que je craignais, s'écria-t-il, j'ai reçu la lettre trop tard, et je n'ai pu te prévenir.

— Me prévenir de quoi? demanda Larry étonné.

Le jeune médecin le regarda avec stupéfaction.

— Est-ce qu'il ne sait rien? dit-il involontairement.

— Qu'y a-t-il donc?...... Que veux-tu dire?.... Pourquoi viens-tu ici?.....

Et saisi d'une pensée subite :

— Dieu! Louise est malade!

— Malade...., je ne sais : est-ce que tu ne l'as pas vue?...

— Non!

— Elle n'est pas ici?

— Je n'ai trouvé personne.

Randel parut atterré; Larry lui saisit vivement le bras :

— Au nom du ciel, qu'as-tu?....... Que

cherches-tu ?..... Pourquoi ce trouble ?..... Pourquoi parlais-tu tout à l'heure d'une lettre?

— J'ai reçu une lettre d'elle, et j'en ai une autre à te remettre.

— De Louise ?

— Oui.

— Louise m'écrire, pourquoi ? Qu'est-il donc arrivé ?.... George, parle, je t'en supplie !

Randel ne répondit rien, mais il tendit la lettre à Larry ! Celui-ci la prit en tremblant et l'ouvrit. A peine en eut-il lu quelques lignes, qu'il jeta un cri.

— Ah ! malheureuse ! malheureuse ! où est-elle ?

— D'après sa lettre, je pensais la trouver ici.

— Il n'y a personne, regarde.

— Et dans cette chambre?

Larry courut à la porte de la seconde pièce, et voulut ouvrir, mais elle résista comme elle l'avait déjà fait; il se pencha alors jusqu'à la serrure; à peine eut-il regardé qu'il jeta un grand cri, et au même instant la porte tomba brisée devant lui. Randel, effrayé, se précipita sur ses pas et le trouva à genoux, tenant embrassé le corps immobile de Louise.

— Elle est morte! criait-il égaré.

— Peut-être; il faut la secourir.

Larry se leva, portant la jeune fille dans ses bras, comme une enfant, et la déposa sur le lit; l'espoir de la sauver lui avait subitement rendu toute sa force; il aida Randel qui, redevenu médecin, ne songeait plus qu'à accomplir son devoir, et tous les soins qui pouvaient rappeler Louise à la vie lui furent prodigués.

Pendant quelques instans, il régna dans l'appartement un silence interrompu seulement par les rapides prescriptions de Randel; mais, insensiblement, les tentatives faites par celui-ci pour ranimer la jeune fille se ralentirent; enfin il s'arrêta tout à coup.

Larry, qui était penché sur Louise, se redressa pâle et les yeux hagards.

— Eh bien! demanda-t-il.

Randel interrogea de nouveau le pouls du cadavre, puis son souffle, puis son cœur, et saisissant les deux mains de Larry :

— Va-t'en, Antoine, dit-il.

Le jeune homme n'en entendit pas davantage ; il étendit les bras en gémissant, chancela et s'évanouit.

Vers le soir du même jour, Antoine veillait seul près de la couche funèbre de Louise. Randel avait profité de sa défaillance pour le faire emporter ; mais à peine revenu à lui, il déclara qu'il voulait retourner chez la jeune fille, et son ami n'avait pu, malgré toutes ses supplications, le détourner de ce projet ; il se décida donc à lui céder et à le suivre.

La douleur de Larry, réveillée à la vue du

cadavre, fut d'abord un véritable délire. Lorsque les cœurs forts fléchissent enfin, il est rare qu'ils ne tombent pas aux plus profonds abîmes du désespoir. Pendant plusieurs heures, ce ne furent que des cris, des sanglots, des torrens de larmes suivis d'abattemens effrayans. Mais quand cette ame, un instant bouleversée par un coup inattendu, eut pris enfin possession de son malheur et s'y fut habituée, elle devint plus calme. A ces transports de la première douleur succéda une désolation moins aveugle; le premier choc avait été un coup de foudre qui avait terrassé Antoine; revenu à lui, il se regarda et interrogea ses souffrances. Il se rappela tout à coup la lettre de Louise dont il n'avait vu que les premières lignes; il la chercha et la lut tout entière. Alors des larmes moins brûlantes tombèrent de ses yeux. Il baisa ces caractères tracés par la main d'un ange, et pressa contre son sein cette relique sacrée.

Mais cette lettre de la jeune fille ne lui donnait que de bien vagues détails sur la cause de son suicide. Plus capable de rassembler ses idées, Antoine chercha quel pouvait être celui dont l'indifférence l'avait tuée. Le premier nom qu'il entendit retentir dans son ame fut celui d'Arthur Boissard ; mais il eut honte de ce soupçon sans fondement, et le repoussa à l'instant comme une inspiration de la haine.

Cependant, lorsqu'il le vit plus tranquille, Randel renouvela ses prières pour l'arracher à l'affreux spectacle qu'il avait sous les yeux ; mais Larry répondit :

— Je ne quitterai point ce cadavre qu'on ne l'ait déposé dans la terre.

Et comme Randel avait paru inquiet sur ses projets :

— Tu peux me laisser seul sans crainte, avait-il ajouté ; ne faut-il pas que je vive pour lui dresser une tombe ?

Rassuré par ces paroles, et sachant que la douleur a besoin de silence et de solitude, Randel avait consenti à se retirer.

Antoine était donc seul près du lit de Louise, contemplant ses traits bleus et gonflés, sur lesquels la mort n'avait même pas laissé sa beauté fatale. Quelque évidente que fût cette mort, il n'avait pu encore s'accoutumer à y croire. Il éprouvait cette espèce d'incertitude qui semble une dernière et vague protestation du cœur contre la raison. Par instans, il écoutait s'il n'entendait pas respirer auprès de lui, il regardait ce corps immobile comme s'il eût attendu un mouvement; il se répétait bien que Louise était morte, mais ce mot restait comme en suspens sur les bords de son ame. Il éprouvait encore une incrédulité irréfléchie qu'il ne s'avouait pas à lui-même, et quoiqu'il n'espérât plus, il attendait toujours.

S'il eût embrassé tout entière cette pensée de séparation éternelle, peut-être y eût-il succombé; mais la seule idée qu'il perçût clairement était celle d'un effroyable malheur. Son esprit n'alla pas plus loin que la souffrance actuelle, et ne comprit pas pleinement et complètement la perte qu'il avait faite. Louise était encore là !... sans mouvement, sans voix, défigurée; mais elle était là !... et, tant qu'il voyait une ombre d'elle, il ne pouvait croire qu'elle fût perdue.

Puis, une préoccupation accessoire, à laquelle un instinct bienfaisant le poussa sans doute, fit diversion à sa souffrance. Il commença à penser au rival qui, après lui avoir ôté l'amour de sa fiancée, l'avait tuée. Il chercha comment il pourrait le connaître pour se venger, et cette recherche s'empara bientôt de toutes ses facultés. Les désappointemens, les surprises et les désespoirs qu'il avait éprouvés depuis quelque temps lui vinrent en mémoire tous à la fois. Ses frémissemens de douleur se transformèrent en mouvemens furieux, et il sentit le besoin de s'en prendre à quelqu'un de ce qu'il souffrait.

En effet, depuis qu'il était né, tout avait tourné contre lui. Puisque ses généreuses passions ne lui avaient apporté que tortures, pourquoi ne pas essayer les mauvaises? Oh!

il sentait qu'il y aurait de la joie à se venger de celui qui venait de lui enlever sa dernière espérance, à lui cracher au visage, à le fouler sous ses pieds; mais où le prendre? comment le reconnaître ?

Il se mit à parcourir à grands pas la chambre de Louise, promenant ses regards autour de lui, comme s'il eût cherché quelque indice qui le mît sur la voie. La pensée que la jeune fille avait peut-être laissé des lettres capables de l'éclairer le porta à chercher avec plus de soin. En entrant dans la seconde chambre, quelques feuilles éparses frappèrent ses yeux, c'étaient les derniers mots écrits par Louise. Larry n'eut besoin de lire que quelques lignes pour tout apprendre; sa première inspiration ne l'avait pas trompé, celui qu'il cherchait, c'était Arthur Boissard.

Au milieu de son désespoir, cette découverte lui causa une sorte de joie farouche. Il trouvait donc enfin l'occasion de se justifier d'une haine instinctive et si long-temps cachée; il n'y avait qu'un seul homme qui lui fût importun dans le monde, et c'était celui-là qui se trouvait son ennemi ! Il ramassa précieusement les preuves qu'il venait d'acquérir, et retourna s'asseoir près du lit de Louise. La certitude de connaître l'auteur de ses souffrances avait subitement apaisé son impatience irritée; sûr maintenant de le trouver, il déposa pour un instant ses pensées de vengeance.

Antoine était toujours à la même place, la nuit commençait à venir, et l'on apercevait à peine les objets dans la chambre funèbre. Des pas pressés se firent entendre dans le corridor, et quelqu'un entra.

Il releva la tête avec une sorte de pressentiment, mais sans prononcer une parole. La personne qui venait d'entrer, et que l'obscurité ne permettait pas de distinguer, s'arrêta un instant près du seuil, puis appela d'un accent ému :

— Louise !

A cette voix, Larry s'élança vers la porte; Arthur et lui se reconnurent en même temps.

— Ah! c'est Dieu qui vous envoie, s'écria Antoine.

— Où est Louise? demanda Boissard; l'avez-vous vue? est-elle ici?

— Elle est ici.

— Où donc ? Il fit quelques pas dans la chambre, tout troublé, en appelant Louise.

— Elle ne vous répondra pas, dit Antoine sourdement.

Arthur se détourna brusquement.

— Pourquoi ? pourquoi ? Où est-elle ? Je veux la voir.

Antoine le saisit par la main, le mena vers le lit, et, écartant brusquement les rideaux :

— La voilà ! dit-il.

Arthur jeta un cri : il se pencha sur Louise, toucha ses lèvres, son front glacé.

— Mais elle est morte ! s'écria-t-il avec horreur.

— Ne le saviez-vous donc pas, vous qui l'avez tuée ?

— Morte, mais c'est impossible ! Êtes-vous sûr qu'elle soit morte ? Un médecin ! faites venir un médecin !

— Le médecin est venu et s'en est allé.

— Mon Dieu, c'est donc vrai ! Et je n'ai pu l'empêcher !... Cette lettre est venue trop tard ! Oh ! malheureux, malheureux !

Boissard se frappait le front de ses deux poings en poussant des sanglots étouffés ; il se pencha de nouveau sur la couche et saisit les mains de la morte.

— Louise ! Louise ! Oh ! mon Dieu ! reviens à la vie ; je t'aime, Louise ; tu ne me quitteras plus; pardonne-moi, Louise, Louise!

Il était courbé sur la jeune fille, il la serrait dans ses bras, il couvrait de baisers son froid visage. Jusqu'alors Antoine avait maîtrisé sa douleur et sa colère; mais en entendant ces expressions d'amour, en voyant les caresses prodiguées à ce cadavre, une jalousie furieuse sembla se réveiller en lui. Ses yeux lancèrent des flammes; il fit un pas en avant.

— Boissard! cria-t-il, les lèvres tremblantes et les mains crispées.

L'accent avec lequel ce nom avait été prononcé était tel, qu'il traversa le désespoir d'Arthur et toucha droit à son ame. Il se redressa, jeta un regard sur Antoine et sembla se rappeler enfin qu'il était devant un rival auquel il avait enlevé sa fiancée; il baissa les yeux avec embarras. Antoine étendit la main sur la morte, et d'une voix qu'agitait un tremblement intérieur :

— Ce cadavre est à moi, monsieur, dit-il; respectez-le.

Arthur le regarda avec étonnement.

— Oui, reprit-il plus amèrement, c'est moi qu'elle a chargé de lui creuser une fosse; elle a compris qu'un legs pareil ne pouvait vous être offert. Comment s'embarrasser d'une maitresse morte, quand il en est tant d'autres encore pleines de vie, d'espérance et de crédulité? Un homme bien né peut-il donc s'occuper des cadavres de toutes les jeunes filles qui ont cru à son honneur et qui se tuent parce qu'il les a abandonnées ?

— Je pardonne à l'amertume de vos paroles, Larry, dit Arthur. J'ai été involontairement pour vous une cause de souffrance ; je comprends vos reproches, et je les excuse.

— En vérité, monsieur ? Ainsi vous me permettez de vous demander compte de votre déloyauté ?

— Antoine !...

— Vous me permettez de vous dire que vous vous êtes joué de cette jeune fille, parce qu'elle était faible, pauvre, sans famille, et qu'avec elle on pouvait être méchant sans peur ?

— Monsieur, prenez garde, répéta Boissard qui sentait la colère venir.

— Et quand vous m'aurez permis de vous dire tout cela, ajouta le jeune homme dont la voix s'élevait toujours, je vous dirai, moi, sans que vous me le permettiez et en face, que vous êtes un lâche..., un lâche, entendez-vous, Arthur Boissard !

— Je vous laisse le choix des armes, dit Arthur précipitamment; sortons.

— Pas encore : je conçois votre empressement. En tuant l'homme qui méprise on espère tuer le mépris; mais vous oubliez que je dois d'abord donner la sépulture à ce cadavre : ayez patience, monsieur, vous pouvez bien mettre un jour entre vos assassinats.

— Monsieur, assez d'injures : votre jour et votre heure ?

— Je vous le dirai quand j'aurai fini.

— Oh ! c'en est trop ! s'écria Arthur en faisant quelques pas vers la porte.

— Vous ne sortirez pas, s'écria à son tour Antoine en le saisissant par le bras avec un mouvement si fou et si terrible de colère, que Boissard pâlit involontairement.

— Prétendez-vous me faire violence ? demanda-t-il.

Mais Larry n'écoutait pas. Appuyé sur la porte et secouant sa tête toute voilée de cheveux épars :

—Non, vous ne sortirez pas, répéta-t-il; il faut que je vous dise auparavant ce que j'ai sur le cœur. Il y a quinze ans que ce poids m'oppresse, quinze ans que j'attends ce moment, car j'étais bien jeune quand j'ai commencé à vous haïr.

— Le jour où ma mère a commencé à vous faire du bien, sans doute.

— Ce même jour : cela vous étonne, parce que vous ne savez pas qu'un bienfait qui ne gagne point l'amour excite la haine; mais moi, je l'ai appris. Quinze ans je me suis senti sous vos pieds et vous m'y avez laissé; quinze ans j'ai tremblé, j'ai eu honte, je me suis tu, et vous avez trouvé que cela était bien. Pourquoi donc cela était-il bien? pourquoi n'étais-je point debout et vous à terre? pourquoi n'étais-je point le bienfaiteur, vous le mendiant? Et vous vous étonnez que je vous haïsse? Ah! je vous hais de nature et d'instinct. Le jour où nous sommes nés, vous riche, moi pauvre, nous étions ennemis.

— Vous avez été le mien peut-être, mais moi je n'ai point été, je ne suis point le vôtre.

— Je vous hais! je vous hais! répéta Larry, avec une persistance sauvage, et ne croyez pas que cette haine soit une colère; c'est toute mon ame : elle a grandi avec moi heure par heure. Toujours, depuis quinze ans, je vous ai trouvé à côté de moi, opposant votre bonheur à ma souffrance. Enfant, vous étiez élégant et recherché de tous; moi, couvert de haillons, raillé de tous; vous étiez beau de la beauté des riches, moi, laid de la laideur du pauvre; vous vous appeliez Arthur, et moi Antoine... Nous sommes devenus des hommes, et je vous ai encore trouvé sur ma route, étalant l'insolence de votre prospérité en face de mes misères. On vous a accueilli quand on me repoussait; on vous a jeté un pont sur les précipices, et moi on m'a laissé y tomber. J'ai souffert tout cela quinze ans, quinze ans de mes plus belles années, des seules que l'on puisse donner à la joie sur la terre. Quinze ans j'ai résisté; j'ai été patient; j'ai blanchi mes cheveux à me bâtir un nid sur l'abîme; j'y ai tout apporté grain à grain, plume à plume, et quand j'ai tout achevé, pendant que je joins les mains pour remercier Dieu, il vient un homme qui n'a rien fait, rien souffert, rien désiré, un homme heureux par droit de naissance, qui étend vers mon bonheur sa main gantée et me le ravit!

En parlant ainsi, Antoine s'animait de plus en plus. Exalté par les souvenirs qu'il rappelait, hors de lui, il saisit les deux mains d'Arthur et les secouant avec violence :

— Oui, vous m'avez volé mon bonheur! cria-t-il, vous me l'avez volé frauduleusement et comme un lâche! Toujours, toujours je vous ai trouvé sur mon chemin, réussissant où j'échouais, et recueillant où j'avais semé. Après avoir renoncé à la fortune, à la réputation, au repos, pour ne pas mourir sans savoir ce que c'est que la joie, j'ai voulu en demander un peu à l'amour. Je croyais que Dieu avait du moins laissé ce trésor au pauvre! Je suis allé, loin de vos cercles brillans, chercher une femme encore plus pauvre et plus abandonnée que moi, afin d'avoir aussi une fois le bonheur de protéger. Après l'avoir trouvée pure, douce, bonne, heureuse, prête à m'aimer, je suis parti pour gagner de quoi lui donner un toit, et quand je suis revenu, vous aviez passé, et la femme pure était déshonorée, et la femme heureuse était morte de douleur.

— Morte, morte, répéta-t-il, comme un insensé, en traînant Arthur jusqu'au lit de Louise; morte! Et vois-tu ce cadavre qui ne bouge plus, qui est froid, que les vers vont ronger, c'est mon avenir et mes espérances, tout cela va descendre dans un trou de terre avec elle! Cette enfant, c'était mon dernier rêve. Tout va être cousu dans son linceul, et mon bonheur, et ma foi, et mon courage. Maintenant je ne vis plus que pour lui creuser une tombe et la venger; car je la vengerai, Boissard, l'heure de la résignation est passée. J'ai trop plié le cou devant le monde, attendant que Dieu fît justice; je ne compte plus sur Dieu ; mon bras sera ma providence ; il faut qu'un riche meure pour venger cette pauvre femme qui est morte, et, avant d'aller la rejoindre, je te tuerai, Boissard.

Antoine avait la tête perdue : en prononçant ces mots, il secouait Arthur, qui tenta vainement de se dérober à ses étreintes furieuses. Son exaltation était si semblable au délire, que Boissard éprouva un véritable effroi ; il fit un effort extrême pour se débarrasser, en lui criant de le laisser. Son geste et sa voix émue frappèrent sans doute Larry, car il fixa sur lui ses yeux égarés, l'éclair de la raison y reparut, et abandonnant les deux mains qu'il tenait prisonnières :

— Ah ! vous avez peur, dit-il, du ton d'un profond dédain ; rassurez-vous, je ne souillerai pas ce lit funèbre de votre sang.

— Je vous attendrai demain, cria Arthur en s'élançant vers la porte.

Antoine ne répondit que par un regard dans lequel il semblait avoir réuni tout ce qu'un regard peut renfermer de mépris et d'injure.

CONCLUSION.

Deux jours après la scène que nous avons rapportée dans le chapitre précédent, et de très grand matin, plusieurs jeunes gens, parmi lesquels se trouvait Randel, étaient réunis, en groupe, dans une des allées les plus sombres du Thabor. Boissard et Larry se trouvaient à quinze pas l'un de l'autre, le pistolet à la main. A un signal donné, les deux coups partirent, mais personne ne tomba ; les témoins se rapprochèrent et voulurent faire entendre des paroles de conciliation.

— Rechargez les pistolets, interrompit Antoine brusquement.

Les pistolets furent rechargés. Les deux adversaires se placèrent de nouveau en face l'un de l'autre, et firent feu.

— Vous tirez en l'air, s'écria Larry, en s'élançant vers Boissard. Celui-ci porta la main à sa joue et la retira pleine de sang.

— Je ne puis pas en dire autant de vous, répondit-il avec un froid sourire.

Les témoins se rapprochèrent vivement.

— Ce n'est rien, messieurs, la balle m'a ment effleuré.

Larry était immobile, la vue de ce sang l'avait glacé.

— Monsieur, dit-il enfin, vous n'avez point tiré sur moi! Je ne suis pas un assassin! défendez votre vie; vous savez qu'il y a entre nous une haine qui veut du sang.

— Vous voyez bien que je ne vous refuse pas le mien.

Antoine fit un geste de colère.

— Ainsi vous me refusez staisfaction?

— Nullement, je recommencerai autant de fois qu'il vous plaira.

— Et vous tirerez en l'air ?

— Toujours.

— Pourquoi ?

— Parce que j'ai eu à votre égard des torts que je regrette, et que je ne veux pas vous tuer.

— Dites que vous voulez rendre le duel impossible.

— Rechargez les armes, messieurs, interrompit Arthur, en se tournant vers les témoins.

— Je comprends, s'écria Larry, vous voulez jouer le rôle de victime et me donner celui de bourreau ! Encore une insulte et une lâcheté !

— Monsieur, dit Arthur avec une certaine noblesse, retournez à votre place; je suis ici pour soutenir votre feu et non vos injures.

Antoine était égaré, il sentait que dans ces débats tout l'avantage restait à son adversaire, et qu'il se trouvait jeté, malgré ses efforts, dans un rôle odieux. Il regarda autour de lui avec indécision, souleva le pistolet qu'il tenait à la main pour le retourner contre sa poitrine, puis, s'apercevant qu'il était vide, il le jeta avec honte et fureur; et, s'élançant derrière la charmille, il disparut.

Randel, qui avait compris son intention, se précipita sur ses pas en l'appelant, mais Antoine avait déjà quitté le Thabor. George courut le faubourg d'Antrin. En ouvrant la porte de l'arrière-boutique, il aperçut Larry, assis et écrivant rapidement. Un pistolet était posé à ses côtés.

Randel devina tout d'un seul coup d'œil ; il s'approcha de la table, et y plaça son chapeau. Ce moment était suprême.

George Randel, dont la figure n'a fait qu'apparaître dans notre roman, n'était à aucun égard un homme ordinaire. Malgré le compromis qu'il avait fait avec les nécessités de la vie, il était capable d'en comprendre toute la grandeur. Aucune idée avancée, aucun sentiment généreux ne lui étaient étrangers; il pouvait, comme Alcibiade, jouir de la vie vulgaire et converser, à certaines heures, avec Socrate ou Platon. La gravité ne lui était pas naturelle, mais elle lui venait avec l'émotion. Il avait toujours aimé Antoine, et les derniers malheurs dont il l'avait vu accablé le lui avaient encore rendu bien plus cher. Lorsqu'il se trouva en présence de ce noble jeune homme écrivant ses dernières volontés et prêt à mourir, il éprouva donc un attendrissement qui lui était inconnu et il ressentit plus vivement qu'il n'avait jamais rien senti le désir de le sauver.

Cependant, maîtrisant son agitation, il s'assit près de Larry, et lui dit avec une sorte de tranquillité :

— Ainsi, tu veux te tuer?

Larry le regarda d'un air étonné.

— Tu en es parfaitement libre, reprit Randel, et je ne viens pas t'en empêcher. Comme ami, je pourrai même te fournir un moyen de mourir plus rapide et plus sûr que ce pistolet qui peut te manquer et t'estropier. Mais, auparavant, je voudrais causer avec toi et savoir tes raisons.

— Et si je ne veux pas les dire ?

— Alors je tâcherai de les deviner. Tu veux te tuer, parce que la femme que tu aimais est morte ; tu veux te tuer surtout, parce que Boissard a joué la générosité avec toi et a eu l'air de te donner la vie, tu tiens à prouver que tu refuses son présent ; c'est bien ; je comprends cette susceptibilité. Mais il faut un but à tout, même au suicide ; à quoi le tien te servira-t-il ? Penses-tu punir ainsi Boissard ? Mais tu fais ce qu'il doit désirer le plus au monde, tu le délivres d'un ennemi qui a droit de le mépriser ! Est-ce donc ainsi que tu venges Louise ?

— J'ai voulu la venger et je ne l'ai pu : il a refusé de se défendre.

— Qu'importe ! il fallait le tuer. Que demandait ta vengeance ? qu'il mourût et non qu'il se défendît. Maintenant, ce qu'il n'a point osé, toi, tu veux le faire à son profit ? Il aura donc tout à la fois la gloire de t'avoir épargné et l'avantage d'être débarrassé de toi ? Sûr, désormais, de ne plus rencontrer des regards qui l'auraient forcé à rougir, il promenera, parmi les femmes, sa réputation de bravoure et de générosité, pendant que toi, tu pourriras dans ta fosse, déshonoré du nom de fou ou d'ingrat! Est-ce là ce que tu appelles faire ton devoir? est-ce là la leçon que tu veux donner à ceux qui souffrent comme toi? songes-y, Antoine, dans cette lutte du pauvre contre le riche, de l'intelligence contre la possession, tu es le tenant d'armes du peuple; te frapper de ta propre main, c'est dire à tous ceux qui luttent qu'il n'y a plus d'espoir. Crois-tu, dis-moi, que ce soit là la mission des hommes forts? Quand on appartient à une idée et qu'on la personnifie, il n'est permis de mourir qu'au profit de cette idée. Qu'auraient dit les Romains du plus jeune des Horaces, s'il se fût percé le sein après la chute de ses frères? C'est toujours une honte de fuir, fût-ce dans la tombe. Sais-tu combien de coups de pistolet vont répondre au tien? Une fois qu'une voix a crié ce *sauve qui peut* de la vie, la foule, entraînée, déserte le combat. Le suicide est l'acte d'un égoïsme poussé à la dernière extrémité : pour l'accomplir, il faut oublier un instant le monde et Dieu, pour se regarder seul, se plaindre seul et s'aimer uniquement; en es-tu arrivé là?

— J'y suis arrivé, répondit Larry sourdement.

— Alors tu es un fou. Considéré par rapport à nos devoirs envers les hommes, le suicide est une trahison; mais, par rapport à nous, c'est démence. Nul n'a le désir sincère de mourir. Entre l'instant où la balle part et celui où elle frappe, il y a place à un regret. Veux-tu me prouver que j'ai tort? Consens à vivre un mois seulement, retourne dans l'existence, parle encore aux femmes, regarde encore les fleurs, écoute les oiseaux, laisse ton cœur s'épanouir à la création ; et puis, au bout du mois, reviens à moi, si tu le peux, avec ce visage sombre, ces yeux hagards et ce désir de mort dans le cœur. Veux-tu faire cet essai ?

Antoine secoua la tête.

— Ainsi, j'ai raison ; tu n'oserais pas attendre, de peur de n'avoir plus la volonté de mourir. Tu te tues frauduleusement, par surprise, en saisissant un éclair de délire pour escamoter un arrêt de mort à ta volonté. Si tu tuais un autre homme de cette manière, tu te croirais déshonoré ! et pourquoi donc un tel empressement ? Si ce que tu fais est bien, d'où vient cette peur de le soumettre à l'examen de la raison et à l'épreuve du temps ? si c'est mal, pourquoi le fais-tu ? S'il fallait engager tout ce que tu possèdes, tu demanderais une heure pour y penser, et, lorsqu'il s'agit d'engager ta vie, tu ne crois pas que cela vaille la peine d'y réfléchir? La vie pourtant est la seule chose que la science humaine ne puisse ni comprendre ni donner; pour en trouver l'auteur, il a fallu inventer Dieu! Et ce présent, qu'un Dieu seul peut faire, tu t'en sépares plus facilement que de ton or? Comment appelles-tu cela? Est-ce délire ou légèreté?

— C'est lassitude.

— Tu te trompes, Antoine, c'est orgueil. Ne crois pas que ce soit seulement ta douleur d'aujourd'hui qui te fasse désirer la mort; ta douleur d'aujourd'hui n'a rien que de vulgaire. Perdre une maîtresse et ne pouvoir se venger d'un ennemi! qui n'a point éprouvé ces souffrances? Aimer n'est si doux que parce que la vie presque entière se passe à regretter et à haïr. Ce n'est donc point cela qui te pousse au suicide; tu y marchais depuis long-temps, à ton insu, et tu n'attendais qu'une occasion. Ton orgueil, toujours froissé, s'envenimait secrètement et élargissait sa plaie. Enfin, quand le mal est devenu trop vif, tu t'es arrêté, et tu as dit : — J'aime mieux la mort. Mais, en cela, tu as manqué à ton instinct d'enfant du peuple, qui devait être la ténacité. Nous autres, vois-tu, que Dieu jette sans ressources sur la terre, nous n'avons pour auxiliaires que la patience et le temps. Chacun se présente au travail avec l'attitude qui lui convient, l'un souriant, courbé, prêt à passer dans tous les vides; l'autre, austère, debout, allant droit au but et faisant la course au clocher à travers la vie. Le premier rôle est facile, c'est celui que j'ai choisi, celui que j'aurais voulu te voir prendre; mais tu l'as refusé pour le second; tu as voulu t'offrir au monde avec la massue d'Hercule et combattre toutes les hydres que tu trouverais sur ton chemin. Pourquoi mentir aujourd'hui à ta mission? Quand on a revêtu la peau du lion de Némée, les découragemens ne sont plus permis, et l'on ne se tue que lorsqu'on s'est fait demi-dieu.

Randel s'était exalté en parlant, et Antoine l'avait écouté avec attention. Ce qui dominait dans le caractère de Larry, comme on a pu déjà le remarquer, c'était la bonne foi, et cette bonne foi il ne l'avait pas moins avec lui-même qu'avec les autres. Les paroles de George le frappèrent; elles avaient soulevé tant de passions, tant de raisonnemens, tant d'objections, qu'il demeura quelque temps muet, poursuivant, dans son esprit, ce que Randel venait de lui dire et complétant les pensées dont il lui avait jeté la semence. En se décidant au suicide, Larry avait évidemment obéi à un premier mouvement de honte et de douleur. Peut-être même, et nous éprouvons ici quelque embarras à rendre notre pensée, avait-il agi moins par nécessité que par imitation. Tant d'autres avaient eu recours à la mort volontaire en pareille circonstance, que la pensée dut lui en venir naturellement. Nous obéissons plus qu'on ne pense aux habitudes, même dans l'expression de nos désespoirs. Les objections de Randel produisirent donc sur lui une impression d'autant plus vive, qu'elles le forcèrent, pour ainsi dire, à remettre en question une résolution arrêtée. Puis, au milieu de son abandon, la démarche du jeune médecin le toucha : il vit qu'il y avait encore sur la terre quelqu'un qui désirait le voir vivre, et cette pensée lui fut douce. Il faut être arrivé au bout de toutes ses espérances, avoir rompu toutes ses ancres de miséricorde, pour savoir à quel point un mot, un geste de sympathie peuvent alors nous émouvoir. Dans le bonheur, nous remarquons à peine l'affection, nous la recevons comme due et immanquable; mais quand viennent les désastres, quand nous sentons que tout s'en va de nous, et que notre destinée, comme une voûte qui a perdu sa clef, croule de minute en minute, oh! combien nous trouvons de prix au moindre signe d'un intérêt vulgaire! Nous attendons alors la souffrance comme nous attendions autrefois la joie, et le mal qu'on ne nous fait pas nous étonne et nous attendrit. Antoine éprouva toutes ces sensations en écoutant Randel; son cœur, gonflé d'amertume, fut soulagé; l'unique et furieuse pensée qui traversait son cerveau, pareille à une barre d'acier, se détendit; il sentit une sorte d'alanguissement se glisser dans son ame et la rafraîchir comme ces douces moiteurs qui terminent les fièvres, et malgré lui des larmes montèrent à ses paupières.

Il resta long-temps en silence, le visage caché dans ses deux mains. Randel avait suivi avec joie les progrès de cette émotion; il s'approcha du jeune homme et s'appuya doucement sur son épaule en l'appelant par son nom. Celui-ci releva la tête.

— Tout ce que tu viens d'exprimer peut être vrai, George, dit-il lentement; tu as raison; le suicide ne me vengera pas; ce serait un mauvais exemple et une désertion. Mais il est des heures où passion, devoir, raison, tout devient indifférent. Tu me proposes de ressayer la vie; mais à quoi bon? Puis-je espérer de l'avenir plus que m'a donné le passé? Que veux-tu que j'aille faire au milieu des vivans? J'aurais beau me mêler à leurs plaisirs, croire un instant que je vis encore, malgré moi je mettrais en fuite la joie; on verrait toujours, par quelque fente de mon cœur, que je ne suis plus qu'un cadavre au dedans. Sans doute, je pourrais me guérir du désespoir; mais la tristesse, George, cette phthisie de l'ame, qui pourra m'en guérir? Quand je serai seul, j'aurai mes souvenirs, malheureux hôtes qui me suivront partout; et, au milieu du monde, j'y retrouverai ma colère, car j'y reverrai tout ce qui m'a fait misérable: l'éternelle joie du riche, l'éternelle souffrance du pauvre, le tout soumis à la royauté du hasard. Ainsi, tristesse ou colère! voilà les deux mauvais anges entre lesquels je marcherai! Je sais qu'il vaudrait mieux savoir tout souffrir sans faiblesse, et, à défaut d'autre service rendu à l'humanité, lui laisser l'exemple d'une lutte supportée jusqu'au bout avec la certitude d'être vaincu; mais je ne me sens point assez fort pour un tel rôle : j'ai perdu la foi et n'ai plus de confiance que dans la mort. Je suis comme ce soldat de Waterloo, qui, couvert de blessures, regarde, devant lui, les plaines inondées d'ennemis jusqu'à l'horizon, et se laisse tomber en disant : Ils sont trop!

— C'est à dire que tu te hâtes de mourir pour ne pas mourir vaincu; et cela encore, Antoine, est de l'orgueil. Mais qu'importe, après tout, ta lutte contre le monde? pourquoi t'y obstiner? Ne peux-tu donc donner à tes efforts un but plus saisissable? Les ennemis sont trop, eh bien! cesse de combattre;

mais ne renonce point, pour cela, à être utile : jette tes armes pour prendre dans tes bras un des blessés que l'on abandonne. Le monde est-il donc si dépourvu de misères à consoler? Quand toute ta vie serait employée à rendre à la joie une seule ame, ne serait-ce point une vie bien employée ?

— Comment donner ce que l'on n'a pas soi-même, Randel ? Ah ! ce n'est pas avec un cœur ravagé que l'on rappelle un autre cœur à la joie; la main que je tendrais à un malheureux lui donnerait ma fièvre, et, si je le pressais sur mon sein, il en mourrait peut-être, car le désespoir est contagieux. Non, non, là est ma douleur, mon inconsolable douleur ; je ne puis plus être utile à personne.

— Et cependant la femme que tu pleures

n'avait qu'un vœu à former, et c'est à toi qu'elle l'a adressé, c'est toi qui l'as rempli. Tu as pu accomplir la dernière volonté d'une mourante, et tu dis que tu es inutile? Et sais-tu si, dans ce moment, quelque autre malheureux ne compte pas sur toi? Qui aidera le pauvre si ceux qui ont été pauvres s'éloignent? Qui essuiera les larmes si ceux qui savent pleurer veulent mourir? A qui s'adressera le cœur brisé si les cœurs brisés s'en vont? Crois-tu donc que la souffrance ait été créée sans dessein? Quand Dieu inventa la douleur, ce ne fut pas pour torturer les hommes, mais pour les unir; il la créa pour pouvoir créer les consolations, les baisers, les étreintes. Comment se serait-on aimé sur la terre si on n'avait pas souffert? Le Christ a dit un mot sublime : *Heureux ceux qui pleurent!* Oui, heureux, parce qu'ils aiment davantage, parce qu'ils sont plus hommes ; heureux, parce qu'ils deviennent meilleurs et plus nécessaires, et qu'ils savent mieux les langues du cœur. Celui qui a éprouvé la souffrance est comme un vétéran de la vie; c'est lui qui connaît les moyens de rendre la route moins dure, le soleil moins brûlant, la charge moins pesante; c'est lui qui encourage et soutient les jeunes ou les timides, et, s'il abandonne les rangs, il y a double honte pour lui. Ne fais pas cela, Antoine ! Regarde tes pieds poudreux, ton front bruni, tes cicatrices; tu es un vieux soldat; reste dans la mêlée. Tu dis que rien ne t'a réussi, tu te trompes ; tu as fait un pas immense; tu n'es plus pauvre ! Ainsi, la cause de tes longues souffrances est détruite ; te voilà parmi les privilégiés. Et c'est maintenant, au moment où tu peux donner la main à ceux qui se consument encore dans leur impuissance, que tu songes à mourir ?

Tu renonces à vivre quand tu peux aider les autres? Au nom de Dieu, Antoine, ne fais pas cela! Je ne suis, moi, qu'un viveur vulgaire; j'ai pris le monde en riant, parce que je trouvais trop dur de le prendre au sérieux; j'ai fait comme les triboulets du moyen-âge, qui devenaient les fous du prince pour ne pas être serfs; mais je suis un enfant du peuple comme toi; comme toi, j'ai senti les épines des inégalités sociales. Au nom de Dieu, frère, écoute-moi; prends en main la défense de notre cause, aide pour ta part à préparer une société meilleure pour tous. Tu ne sais plus que faire de ta vie; tu veux la jeter au néant, Antoine; donne-la à l'humanité.

Randel parlait ainsi d'une voix vibrante; ses yeux, dans lesquels Larry n'avait jamais vu que les éclairs de la malice, brillaient de larmes, et un frémissement nerveux agitait ses traits. Antoine l'avait écouté, haletant et agité. Quand George se tut, il demeura un instant le front baissé ; mais il le releva bientôt et laissa voir son visage tout baigné de larmes. Le jeune médecin lui ouvrit les bras et il s'y précipita.

— Ainsi, tu vivras, lui dit-il.

— Je tâcherai, répondit Antoine.

Ils se tinrent long-temps embrassés, laissant un libre cours à leurs pleurs; puis, quand ils furent un peu calmés :

— J'ai cherché le bonheur sur bien des routes, dit Larry, je l'ai demandé à la réputation, à la fortune, à l'amour, et tous trois m'ont échappé; mais tout n'est pas désespéré, mon Dieu! et je te remercie; tu m'as laissé le dévouement.

Les deux jeunes gens se prirent ensuite la main.

— Et maintenant, dit Randel, oublie que je t'ai parlé. Que chacun de nous reprenne son rôle : le tien, noble et austère; le mien, trivial et servile. Nos voies sont différentes; c'est peut-être la dernière fois que nos ames se rencontrent. Adieu! Antoine, et sois heureux.

— Sois heureux! répéta Larry.

A ce mot, tous deux se regardèrent; mais il y avait dans ce regard une connaissance si triste et si profonde de la vie, que tous deux à la fois secouèrent la tête et répétèrent en même temps :

— Hélas !

FIN DU TOME DEUXIÈME ET DERNIER.

le fond de ses idées, il en a traduit la forme ; il n'a pas eu recours à des équivalents pour exprimer la pensée de Byron, il a toujours cherché le mot propre.

Byron, avec sa physionomie mobile, sa verve tour-à-tour sublime et grandiose, incisive et caustique, Byron est de tous les écrivains celui qui perdrait le plus à subir des altérations ; ses défauts même, quand il en a, deviennent en quelque sorte le cachet de son génie ; modifier le cachet ce serait enlever au génie une partie de son originalité. Aussi le traducteur s'est-il religieusement abstenu d'élaguer ou de mutiler aucun des rameaux de cet arbre si luxuriant et si riche.

Byron détestait les traducteurs en général, et les traducteurs français en particulier ; ces derniers en effet méritaient d'encourir sa haine par la précipitation qu'ils avaient mise dans leur travail. Dominés par l'envie de faire vite plutôt que par celle de faire bien, leur œuvre n'offrait qu'un pastiche froid, incomplet, décoloré, de la magnifique poésie de Byron. Il faut le dire pourtant, cette précipitation même était une sorte d'hommage rendu à la célébrité de l'écrivain ; mais si elle était excusable il y a quinze ans, comment le serait-elle aujourd'hui qu'elle n'a plus pour cause l'impatience du public ; aujourd'hui que la littérature étrangère fait chaque jour parmi nous de nouveaux progrès !

Certes le temps est venu de payer à lord Byron le tribut de vénération qu'on doit aux mânes des grands hommes ; et quel tribut plus flatteur à lui offrir qu'une traduction où sa pensée se reproduise complète, identique, textuelle ! Ce tribut, le traducteur actuel s'est efforcé de l'acquitter avec un respect religieux. Il aurait cru profaner les cendres de Byron s'il était venu, à l'exemple de plusieurs de ses confrères, lancer dans la circulation, au commencement de 1836, une œuvre dont les imperfections, les lacunes et les contre-sens eussent été signalés déjà par l'opinion publique en 1821.

Voici le jugement que porte sur cette traduction l'un de nos plus célèbres critiques, dans la *Revue des Deux-Mondes :*

« Nous avons sous les yeux la nouvelle traduction de Byron, par M. Benjamin Laroche. On sait les immenses difficultés d'un pareil travail ; c'est donc tout à la fois justice et loyauté de reconnaître que M. B. Laroche a satisfait heureusement à la plupart des conditions de la tâche qu'il s'était imposée. Byron, pour le contour de la phrase, le mouvement des images et la concision constante du style, ne connaît qu'un seul rival dans toute la littérature anglaise, et ce rival n'est rien moins que Milton. Pour tenter de reproduire dans notre langue les ouvrages d'un poète dont l'expression serre de si près la pensée, il ne suffit pas de connaître parfaitement l'idiome avec lequel on veut lutter ; il faut manier, sans broncher un instant, la langue française, qui, pour la composition du langage poétique, est loin d'offrir les mêmes ressources que la langue anglaise : M. B. Laroche nous semble pénétré de ce double devoir. Nous avions jusqu'ici deux traductions de Byron, l'une qui passe habituellement à côté du texte, et qui ne s'interdit pas de le mutiler ; l'autre qui, dans son respect pour la littéralité complète, n'évite aucun des contre-sens qui se présentent sur son passage. M. B. Laroche a su être à la fois consciencieux, fidèle, littéral sans lourdeur, et il a rencontré l'élégance dans la fidélité. »

GALERIE

DES

FEMMES DE LORD BYRON;

SÉRIE DE 39 PORTRAITS,

inspirés

D'APRÈS LES CARACTÈRES DES PRINCIPALES FEMMES DES POÈMES DE LORD BYRON;

GRAVÉS SUR ACIER PAR LES PREMIERS ARTISTES DE LONDRES.

UN VOLUME IN-4°,

relié en maroquin, doré avec le plus grand luxe.

Prix : 36 francs.

Extrait du Journal des Débats du 28 décembre 1835.

Ne vous est-il pas arrivé souvent, après la lecture d'un poème de lord Byron, les yeux à demi ouverts comme un homme ivre d'opium, d'évoquer devant vous les blanches figures de tant de belles femmes au doux sourire, aux doux regards, aux longues tresses brunes ou blondes, rêves d'été, sortis tout frais éclos du cerveau du poète? Quel travail il vous fallait alors, et que de jeunesse pour retrouver là dans votre esprit, là sous vos yeux, là dans votre cœur, Lesbia, Caroline, Marion, la jeune Haïdée ou bien l'Inès et la Florence de *Childe-Harold*, ou encore la Leila du *Giaour*, la Zuleika de la *Fiancée d'Abydos*, la Medora et la Gulnare du *Corsaire* ou la Kaled de *Lara*! Que d'efforts et de peines, et de séduisantes couleurs ou de folles passions et de délire poétique, vous ont coûtés, je vous prie, ces molles et fugitives apparitions, — Parisina, Leonora, Astarté, Laura, Theresa, Beatrice de la *Prophétie du Dante*, Angiolina la Vénitienne, Myrrha l'Orientale, et enfin et surtout et toujours, toutes les femmes de Don Juan, des beautés que Molière lui-même n'a pas rêvées; dona Inès, dona Julia, Zoé, Gulbeyaz, Katinka, Dudu, Aurora, Raby, la duchesse de Fitz-Fulke, toutes les beautés, tous les printemps, toutes les grâces, tous les sourires, tous les soupirs, tous les amours!

Eh bien! voici un livre où, grâce aux plus grands artistes de Londres, Lewis, Stone, Corbould, Bostock, Meadows, vous retrouverez sans fatigues, mais non pas sans passions, les ravissantes, les idéales, fugitives, héroïnes des poèmes de lord Byron.

Figurez-vous un de vos plus beaux rêves de vingt ans, ou plutôt tous vos rêves de vingt ans réunis là, entassés là, gravés sur acier et reliés en maroquin du Levant par quelque Thouvenin anglais.

JULES JANIN.

AVIS.

LA COLLECTION DES PORTRAITS SE VEND SÉPARÉMENT.

PRIX : 30 FRANCS.

CHAQUE PORTRAIT SÉPARÉ : 1 FRANC.

aux magnifiques accents d'une voix admirable, il me semblait deviner comment écrirait le cœur qui les inspirait. Je l'avoue, je me suis trompé. Madame Merlin n'a pas fait un livre d'imagination, mais d'esprit; c'est du sentiment et non de l'invention; c'est une étude de l'âme par un cœur des Antilles, qui se refroidit insensiblement au soleil de l'ancien monde.

N'allez donc pas chercher, dans les Mémoires de madame Merlin, des événements extraordinaires et des émotions factices : ne vous attendez pas davantage à de l'aride morale ou a de secs préceptes. Elle n'a voulu, comme on l'a déjà tenté si souvent, doubler ni les *Confessions de Jean-Jacques*, ni les *Maximes de Larochefoucauld*. Elle est demeurée elle-même et elle seule. C'est sa vie, vie simple et ordinaire, vie d'enfant et de jeune fille, qui naît à la Havane, au sein de l'opulence et de la paix, qui se marie à Madrid, au bruit des armes et sous les auspices d'un conquérant, envers lequel je lui pardonne quelques reproches exagérés. Aucune péripétie romanesque ne dégrade son récit et n'altère ses impressions. Dès qu'elle est née, elle observe et raisonne, car son esprit est plus prompt que sa vie. Enfant gâtée, adorée par sa famille, elle dit ses impressions avec une candeur, une bonté qui n'excluent ni la justesse ni la profondeur de ses remarques, mais qui témoignent de l'excellence de son naturel. Étonnée elle-même aujourd'hui, elle explique cette intelligence par le développement rapide que prête aux facultés la puissance du climat de feu qui l'a vue naître. Pour nous, chaque espiéglerie et chaque réflexion de l'enfant nous intéresse, parce qu'elle fournit l'occasion d'étudier et de suivre cette tête et ce jeune cœur qui fermentent ensemble.

Entourée d'esclaves, elle s'attriste de leur sort : « Ils ne cultivent presque jamais les fleurs, dit-elle; tout ce qui est plaisir » dans la vie est si loin de leur portée et même de leur désir ! » Beaucoup de discours philantropiques ne valent pas cette observation d'un enfant de dix ans. Enfermée au couvent, elle s'en échappe : un cloître lui fait comprendre la liberté. Aussi, lorsqu'elle part pour l'Espagne, elle la fait rendre à la négresse qui l'a nourrie; elle lui donne en même temps une maison et des champs, et, guidée par son cœur seul, elle lui donne ce qui est plus précieux pour une mère que des sillons et la liberté, elle lui donne ses propres enfants encore esclaves ! Lisez les pages où madame Merlin décrit la reconnaissante joie de la négresse, et ne soyez pas attendri au spectacle d'une jeune fille aussi heureuse du bonheur qu'elle a compris et procuré ! . . . .

. . . .

Mais je l'ai dit : ce n'est pas de l'histoire, ce ne sont ni des événements, ni des faits personnels qu'il faut rechercher dans les Mémoires de madame Merlin : c'est son âme qu'on doit y suivre, les impressions de son cœur et les réflexions de son esprit. Le général Foy a écrit la guerre de la Péninsule; mais l'illustre guerrier ne pouvait avoir ni la sensibilité de la femme, ni son cœur, ni sa plume. Chez madame la comtesse Merlin, le détail historique n'est que l'accident; l'impression est le fait principal. Elle ne prétend pas raconter; elle pense. Là vraiment est le rôle d'une femme d'esprit. Assez d'hommes feront de l'histoire, compileront, défigureront les choses et les personnes. En se peignant soi-même, une femme conserve le plus précieux de ses avantages, le naturel et la grâce. Madame Merlin l'a compris; elle n'emprunte rien; elle écoute sa mémoire et traduit son âme. Aux premiers jours de sa vie, elle a été si caressée, si entourée de tendresse et de bonheur, qu'elle s'était imaginé le monde peuplé d'amis, et les hommes nés pour s'aimer et se rendre heureux mutuellement. « Plus tard, dit-elle, l'expérience a rectifié ce qu'il y
» avait d'exagéré dans ces idées, mais j'ai toujours conservé une
» disposition à m'avancer avec confiance au devant des cœurs qui
» me semblaient bien disposés pour moi; je croyais y trouver
» des amis d'enfance, et les mécomptes, loin de refroidir mon âme
» et la disposer à se replier sur elle-même, n'ont fait que la ren-
» dre plus sensible aux sentiments d'affection. Aujourd'hui la con-
» naissance du monde m'a démontré les inconvénients attachés à
» un tel caractère, et j'en ai tiré une triste vérité, c'est que la bien-
» veillance dans une femme est une des dispositions les plus à re-
» douter pour son bonheur. » Et cependant celle qui écrit ce sage raisonnement ne peut pas s'y résigner. « Le bonheur des gens
» qui aiment tout le monde, et que tout le monde aime, n'est à la
» charge de personne; ce sont les heureux de la terre; j'ai moins de
» penchant pour eux; ils n'ont que faire de moi : ma nature sauvage
» et dévouée a besoin de résistances et de sacrifices. » C'est en vain qu'elle fait dire à un misantrope : « Sachez vous passer de tout plutôt
» que d'être réduit à demander un service à celui que vous croyez
» votre meilleur ami. Ne risquez jamais l'idée favorable que de lon-
» gues années d'intimité et de confiance vous ont donnée de lui. » Sa vie, ses actions, son caractère, une bienveillance toujours présente, démentent ce rigide conseil et la font, loin de là, vivre en dehors d'elle. « Mon existence a toujours été moins dans les événements
» que dans l'influence qu'exercent sur moi les sentiments des au-
» tres. Prête à tout sacrifier pour ceux que j'aime, l'affection est
» pour moi une sorte d[illegible]

» ticulières, les intérêts, ma propre vie, tout leur est soumis ; l'ab-
» négation complète de moi-même, dans ce cas, est autant le be-
» soin de mon cœur qu'un devoir, un point d'honneur, que j'ob-
» serve avec un scrupule religieux. » Je ne sais pas de mots qui loueraient assez bien de pareils sentiments ; je voudrais m'y arrêter pour les admirer et pour leur offrir mes applaudissements et ma sympathie profonde. Mais madame Merlin revient elle-même sur cette pensée et elle la développe : « Mon cœur est comme un
» terrain bien chaud, tout y prend racine. Cette disposition donne
» à l'âme un sentiment habituel de tristesse, parce qu'il la rend
» trop dépendante d'autrui, et que la douceur ineffable des tendres
» affections est insuffisante pour supporter le fardeau du mensonge
» et de l'ingratitude ; aussi ma vie a toujours été livrée à un com-
» bat perpétuel. » Et cela devait être. Avec ces nobles dispositions que l'égoïsme nommera dédaigneusement de l'exagération ou de la duperie, il n'est pas possible de faire consister le bonheur dans le calme de l'indifférence ou dans la froideur de relations sans secousses, et j'ai failli dire sans tourments. Ce n'est pas madame Merlin qui l'ignore ou qui l'évite. « L'exaltation s'est toujours mê-
» lée à mes plus légères impressions, et, comme les breuvages
» enivrants qui agissent sur le cerveau, elle ajoute à ma force vi-
» tale une sorte de fièvre qui échauffe et colore tout ce qui m'af-
» fecte........ Cette nature si dévouée me rend très-sensible aux
» mauvais procédés, à l'ingratitude, et souvent extrême dans ma
» reconnaissance comme dans mon ressentiment. » Les illusions de la jeune créole ont fait place aux enseignements de la vie : mais ses sentiments sont demeurés dans leur nature originelle, vifs, ardents, généreux, prêts à tous les sacrifices, dignes d'inspirer et capables de nourrir les affections les plus sincères, et toujours invariablement soumis à un frein, la bonté. . . . .
. . . .

Lorsqu'on pense comme madame Merlin, les mérites littéraires du style n'ont guère d'importance. Devant un pareil fond, la forme est peu de chose. Cependant, hâtons-nous de le dire, son ouvrage serait encore remarquable par la seule manière dont il est écrit. L'école moderne y chercherait en vain un seul mot romantique ou déplacé ; l'élégance et la pureté de la diction y sont simples et continues.

Le style découle de la même source que les pensées, je n'en peux faire un plus bel éloge. Jusqu'ici, célèbre par ses talents, par son esprit et par la plus admirable voix, madame la comtesse Merlin cherche aujourd'hui une gloire de plus : elle la trouvera car elle écrit [illegible]

Y

LES

DERNIERS BRETONS

PAR

Em. Souvestre,

AUTEUR DE L'ÉCHELLE DE FEMMES, ETC.

QUATRE BEAUX VOLUMES IN-OCTAVO.

Prix : 30 francs.

Extrait de la Revue de Paris.

Ce livre est un ouvrage curieux et nouveau; c'est l'histoire d'une province, histoire toute psycologique, histoire idéale, qui ne s'attache point à tel ou tel événement, ne décrit point telle ou telle époque en particulier, mais qui descend dans les entrailles mêmes de la nationalité d'une province, qui l'embrasse dans son ensemble et son originalité, qui la dessine avec une scrupuleuse exactitude, et la fait revivre tout entière. Si, après avoir achevé le livre de M. Souvestre, on sent qu'il y a dans la péninsule armorique une race dont on ne se doutait point; race étrange, sauvage, dont l'aspect vous laisse à la fois ému et surpris, on aura retiré de ses études tout le profit que l'on en pouvait espérer. L'auteur n'a voulu en effet écrire ni une statistique, ni un roman, ni un voyage; mais il a cherché à saisir et à condenser ce qu'il y avait de plus personnel, de plus intime, de plus tranché dans la Bretagne. Pour nous qui travaillons, avant tout et à tout prix, à faire triompher l'esprit et la langue française, à abaisser sur toutes ces aspérités locales le niveau d'une civilisation progressive, ce livre nous a singulièrement troublé. Quand on sort de la compagnie de Voltaire, et qu'il faut passer au spectacle de ce monde aux mille faces, de cette lande diversifiée de tant d'étranges façons, l'on a d'abord peur d'être débordé : au lieu d'une route bien vée et bien blanche, ce sont mille sentiers tapissés de gazon, rdés de hautes et odorantes bruyères ; à chaque pas, l'horizon masqué et brisé par de gigantesques rochers, ou *menhirs* ous ne pouvons nous décider à employer ce patois guttural), is peu à peu on s'accoutume à ces paysages grandioses, l'enthousiasme vous gagne en les comprenant mieux.

Ce livre est divisé en trois parties : dans la première, l'auteur crit le lieu de la scène et le costume des acteurs du drame ; ns la seconde ces acteurs chantent, et nous avons les poésies pulaires ; dans la troisième ils agissent, et nous entrons dans la ane de l'ouvrier, nous nous embarquons avec le pêcheur, nous controns le laboureur penché sur son sillon.

La Bretagne, dont parle M. Souvestre, et à laquelle il conserve ı ancienne division par évêchés, forme aujourd'hui trois départ nents : le Finistère, le Morbihan, et les Côtes-du-Nord. Ces qua évêchés sont le pays de Léon, la Cornouaille, le pays de Tréier, le pays de Vannes.

Nulle autre partie de la Bretagne ne présente une variété aussi ntinuelle que le Léonais : ses aspects, moins sauvages que ceux la Cornouaille, moins arcadiens que ceux du pays de Tréguier, oins arides que les landes de Vannes, participent à la fois de s trois natures ; ils en offrent comme un résumé poétique.

Le Léonard réfléchit au plus haut degré le caractère calme et eux du paysan breton ; pour lui, point d'action importante sans ie la religion y intervienne. Le Léonard est plus grand que les itres Bretons, sa démarche est lente, solennelle, empreinte de rce et de majesté : il s'avance en homme et en chrétien sous eil de Dieu ; sa joie est sérieuse, elle n'éclate que par lueurs et mme malgré lui.

La Cornouaille présente deux aspects entièrement opposés ; en de sauvage comme son côté nord, rien de suave comme certins cantons du midi. La côte de Quimper, où s'élève le rocher Penmarch, présente un des plus effrayants tableaux que l'imaination puisse concevoir ; aussi les Kernewotes des grèves se pprochent-ils, pour la tristesse et la gravité, des Léonards. Les épouilles des vaisseaux qui viennent se briser sur leurs récifs, ur appartiennent. La mer, dit le paysan Kernewote, est comme ne vache qui met bas pour nous, ce qu'elle dépose sur son rivage ous appartient.

Mais au fond, c'est plutôt dans les solennités joyeuses de la vie ıe dans les tristes cérémonies qu'il faut chercher le caractère ı Kernewote ; le deuil va mal à sa taille et le chagrin à son visage, il n'est lui que là où rit la fête, où coulent l'eau de feu et le vin bleuâtre; poétique et spirituel dans le plaisir, il est gauche et trivial dans la douleur. Il semble que le Léonard et lui se soient partagé la vie; à l'un les jeux et les fêtes, à l'autre la tristesse et les tombeaux; aussi, lorsque vous visiterez le pays de Léon, demandez à voir une agonie ou un enterrement; mais si vous parcourez les montagnes noires, mêlez-vous à un repas de noces. L'intermédiaire obligé des fiançailles est le tailleur de l'endroit. Le tailleur sait toutes les chansons nouvelles; nul ne raconte mieux de vieilles histoires, et c'est à lui que reviennent de droit les chroniques scandaleuses du canton.

Le pays de Tréguier a conservé la physionomie nobiliaire de l'aristocratie du dix-huitième siècle, aristocratie bénigne et campagnarde; c'est le pays des clercs et des parlements. A qui veut étudier le serf, le seigneur et le prêtre du moyen-âge, les grèves du Finistère; mais c'est au pays de Tréguier qu'il faut venir chercher les traces de l'époque qui sert de transition entre l'aristocratie armée et la souveraineté du peuple.

Le pays de Vannes, c'est la vieille Celtie, c'est quelque chose d'antérieur à la féodalité, c'est la société druidique. C'est surtout dans le Morbihan qu'existent les haines et les rivalités entre le citadin et le paysan, haines qui se donnent libre cours au féroce jeu de la Soule. Le Cloarec du pays de Vannes est batailleur turbulent, buveur, toujours la main au bâton ou au couteau, c'est un vrai bazochien du moyen-âge.

Après avoir fait connaître les Bretons en eux-mêmes, M. Souvestre passe en revue les différents genres de poésies populaires, les poésies chantées, les poëmes, les tragédies, les drames.

Les poésies chantées se divisent en cantiques, guerz, chansons et sônes.

Les cantiques occupent le premier rang par leur nombre et leur popularité; en voici un sur l'enfer. « L'enfer! l'enfer! savez-vous ce que c'est, pécheur? Là jamais on n'aperçoit de lumière, le feu brûle comme la fièvre sans qu'on le voie, là jamais n'entre l'espérance. La colère de Dieu a scellé la porte; du feu sur vos têtes, du feu autour de vous. Vous avez faim, mangez du feu; vous avez soif, buvez à cette rivière de soufre et de fer fondu. Vous pleurerez pendant l'éternité, vos pleurs seront une mer, et cette mer ne sera pas une goutte d'eau pour l'enfer. Vos larmes entretiendront les flammes loin de les éteindre, et vous entendrez la moelle bouillir dans vos os. »

Si les cantiques sont les poésies les plus populaires de la Breta gne. les guerz en sont incontestablement les plus anciennes. Ils sont destinés à célébrer les événements particuliers, les amours, les morts, les douleurs, qui attendrissent ou épouvantent les cœurs. Ce sont des ballades intimes, de poétiques papiers de famille. L'une d'elles, *la Tête de mort*, rappelle le dénouement de *Don Juan ;* c'est une autre statue du commandeur. *La Femme du Meunier* vaut le meilleur conte de Bocace ou de La Fontaine.

Les chansons sont en général sérieuses. Gracieuses naïvetés, philosophiques hardiesses, mordantes railleries, joyeusetés grivoises, rien ne manque à la chanson bretonne : l'une d'elles, le Mari et la Femme, a été mise en vers par M. Brizeux.

Les sônes sont des élégies chantées et composées presque toujours par les Cloarecs, et qui reflètent leur vie tout entière. L'expression de ces douleurs intimes conserve le plus souvent une simplicité charmante et presque enfantine.

Parmi les poèmes, M. Souvestre cite les aventures d'un jeune Bas-Breton, qui n'ont pas moins de treize cents vers. C'est une sorte de confession; c'est un journal de pensées et d'émotions tenu heure par heure, un roman qui commence, continue et s'achève au fond du cœur, sans qu'il y ait autrement de drame extérieur que dans la vie vulgaire; c'est en un mot l'histoire d'un Cloarec qui aime, lutte contre son amour parce qu'il l'arrache à ses études, puis cède ; mais entendant la voix de Dieu qui l'appelle, il fuit celle qu'il a choisie, tombe dans le désespoir en apprenant son mariage, et qui enfin, las de douleur, ennuyé, prend lui-même une femme parmi les femmes, uniquement pour qu'il y ait un dénouement à son roman. Ce jeune Breton n'est-il pas un cousin de Jocelyn? Les tragédies bretonnes qui ont survécu à l'oubli ne remontent guerre au-delà du seizième siècle. M. Souvestre en cite trois : l'une toute d'imagination, Saint-Guillaume, comte de Poitou; l'autre historique, les quatre fils Aymon; la troisième hiératique et pieuse, Sainte-Triffine.

La troisième partie comprend l'industrie, le commerce et l'agriculture de la Basse-Bretagne. L'ouvrier breton n'a point cette activité industrieuse, remuante, de son voisin le Normand; il ne court après la fortune ni ne l'attend. Et puis, son imagination vient à chaque instant à la traverse de son industrie; chez lui le cœur déborde, et la poésie tue l'arithmétique. Position, intérêt, il sacrifiera tout à une tradition pieuse, à ses passions, à l'amour. M. Souvestre trace un tableau effrayant de la misère et des souffrances de l'ouvrier breton, du tisserand par exemple, qui, assis devant un métier bizarrement sculpté, que lui ont légué ses ancêtres, fait courir dans la trame la navette grossière qu'il a taillée lui-même avec son couteau, pendant qu'auprès de lui sa femme prépare le fil sur le vieux dévidoir vermoulu de la famille.

Les malheureux! c'est avec de pareils désavantages qu'ils luttent contre les grandes fabriques des villes, les machines perfectionnées, et la division de la main d'œuvre. Aussi chaque jour le prix de la toile s'abaisse, chaque jour le pain devient plus rare dans la maison, jusqu'à ce qu'un jour le métier et le maître tombent, l'un en poussière et l'autre mort de faim.

Le commerce maritime de la Bretagne, si florissant au seizième siècle, est aujourd'hui éteint; la vase encombre chaque jour les petits ports de l'Armorique, où l'on voit les navires inachevés pourrir sur les cales de construction. Le commerce des chevaux, bien que restreint depuis une dizaine d'années, a seul aujourd'hui quelque importance.

L'agriculture est dans un état plus prospère; cependant, si l'on en juge par la mélancolique complainte du laboureur, dans le sillon comme dans l'atelier, comme dans la barque du pêcheur, les privations et la douleur viennent s'asseoir.

« Le laboureur se lève avant que les petits oiseaux soient éveillés dans les bois, et il travaille jusqu'au soir. Il se bat avec la terre sans paix ni trève, jusqu'à ce que ses membres soient engourdis; et il laisse une goutte de sueur sur chaque grain qu'il sème.

» Et la femme du laboureur aussi est bien malheureuse; elle passe la nuit à bercer les enfants qui crient, le jour à remuer la terre près de son mari. Elle n'a pas même le temps de consoler sa peine, elle n'a pas le temps de prier pour apaiser son cœur. Le laboureur et sa femme sont comme les hirondelles, qui vont faire leur nid aux fenêtres des villes; chaque jour on le balaie et chaque jour il leur faut recommencer. »

Tel est ce livre, qui a tout l'intérêt d'un roman et tout le pittoresque d'un voyage. C'est un ouvrage curieux et utile en même temps qu'une œuvre d'art et de goût; c'est un de ces livres qui ont leur place marquée dans les bibliothèques choisies.

Alexandre Dumas.

fr. c.

THÉATRE, *contenant* **HENRI III. — CHRISTINE. — NAPOLÉON. — CHARLES VII. — ANTONY. — RICHARD D'ARLINGTON. — TÉRÉSA. — LA TOUR DE NESLE. — ANGÈLE. — CATHERINE HOWARD. — DON JUAN et KEAN.** 6 *beaux vol. in-8.* 45

Nota. Le tome sixième, contenant DON JUAN et KEAN, se vend séparément.

IMPRESSIONS DE VOYAGE, troisième édition, revue, corrigée et augmentée de *plusieurs Impressions nouvelles.* 2 vol. in-8. 15

E. Lerminier,

Professeur au collége royal de France.

PHILOSOPHIE DU DROIT, deuxième édition. 2 vol. in-8. 14

ÉTUDES D'HISTOIRE ET DE PHILOSOPHIE, deuxième édition. 2 vol. in-8. 15

LETTRES PHILOSOPHIQUES adressées à un Berlinois. 1 vol. in-8. 7 50

Barchou de Penhoën.

HISTOIRE DE LA PHILOSOPHIE ALLEMANDE, depuis Leibnitz jusqu'à Hegel. 2 vol. in-8. 15

DESTINATION DE L'HOMME, par Fichte, traduit en français, deuxième édition. 1 vol. in-8. 7 50

MÉMOIRES D'UN OFFICIER sur la guerre d'Alger. 1 vol. in-8. 7 50

GUILLAUME D'ORANGE ET LOUIS-PHILIPPE (1688-1830). 1 vol. in-8. 7 50

UN AUTOMNE AU BORD DE LA MER. 1 vol. in-8. 7 50

Sous presse, du même :

Philosophie de Shelling. 2 vol. in-8

Philosophie de Kant. 2 vol. in-8.

Emile Souvestre.

fr.

LES DERNIERS BRETONS. 4 vol. in-8. Prix. 30

L'ÉCHELLE DE FEMMES : la Femme du peuple ; — la Grisette ; — la Bourgeoise, — la Grande Dame. 2 vol. in-8. 15

RICHE ET PAUVRE. 2 vol. in-8. 15

Mme la comtesse Merlin.

SOUVENIRS ET MÉMOIRES, publiés par elle-même. 4 beaux vol. in-8. 30

Mme Desbordes Valmore.

LE SALON DE LADY BETTY, mœurs anglaises. 2 vol. in-8. 15

Lord Feeling.

Voyages et Aventures en Espagne.

SCÈNES DE LA VIE CASTILLANE ET ANDALOUSE. 1 vol. in-8. 7 50

Sous presse, du même :

Scènes de la vie castillane et andalouse. Tome 2e.

Une Promenade dans le royaume de Valence et en Catalogne.

Un Pèlerinage à Saint-Jacques de Compostelle.

Jules de Saint-Félix.

CLÉOPATRE, roman. 2 vol. in-8. 15

Eugène Lambert.

fr. c.

UNE FEMME SACRIFIÉE. 1 vol. in-8. 7 50

Guy d'Agde.

L'AMOUR A NAPLES. 2 vol. in-8. 12

Emile Bères.

Ouvrage couronné par l'Académie (Prix Montyon).

LES CLASSES OUVRIÈRES, moyens d'améliorer leur sort sous le rapport du bien-être physique et du perfectionnement moral. 1 vol. in-8.

Outre le prix Montyon qui lui a été décerné par l'Académie Française, cet ouvrage a encore été couronné à Mâcon, par la Société d'Agriculture, Sciences et Arts; à Paris, par la Société de la Morale chrétienne.

Wiilams Shaler,

Ancien consul général des États-Unis à Alger.

ESQUISSE DE L'ÉTAT D'ALGER, considéré sous le rapport politique, historique et civil; *contenant* un Tableau statistique, sur la Géographie, la Population, le Gouvernement, les Revenus, le Commerce, l'Agriculture, les Arts, les Manufactures, les Tributs, les Mœurs, les Usages, le Langage, les Événements politiques et récents de ce pays; traduit de l'anglais par X. BIANCHI, secrétaire-interprète du Roi. 1 gros vol. in-8, orné d'un Plan de la régence d'Alger. 9

SOUS PRESSE.

PHILOSOPHIE DE SHELLING, par le baron Barchou de Penhoën. 2 vol. in-8.

PHILOSOPHIE DE KANT, par le même. 2 vol. in-8.

SCÈNES DE LA VIE CASTILLANE ET ANDALOUSE, *tome 2e*, par lord Feeling.

VOYAGE DANS LE ROYAUME DE VALENCE ET EN CATALOGNE, par le même. 1 vol. in-8.

UN PÉLERINAGE A SAINT-JACQUES DE COMPOSTELLE, par le même. 1 vol. in-8.

UN NOUVEL OUVRAGE de M. Emile Souvestre. 2 vol. in-8.

DEUX MARIAGES, par madame Emile Souvestre. 2 vol. in-8.

IMPRIMERIE DE TERZUOLO,
successeur de M. [illegible],
rue de Vaugirard, n° 11

Imprimé en France
FROC022232230919
22214FR00013B/145/P

9 782329 318745